C0-AMQ-246

아이세움 논술 | 명작 50

베니스의 상인

감수 및 개발 참여

감수 박우현

동국대학교 철학과를 졸업하고 동 대학원에서 비트겐슈타인의 〈논리철학논고〉에 관한
연구로 박사 학위를 받았습니다. 한우리독서문화운동본부 교육원장으로 활동했습니다.
그동안 쓴 책으로는 〈논리를 꿀꺽 삼킨 논술〉 등이 있습니다.

편집 · 진행 비단구두

비단구두는 밥만큼 아이들 책을 좋아하는 사람들이 모여 어린이들에게 꼭 필요한 이야기와
철학이 담긴 책을 만드는 아동 도서 전문 기획회사입니다.

캐릭터 디자인 아이원커뮤니케이션(www.ionecom.co.kr)

아이원커뮤니케이션은 도전하는 창조적 정신과 책을 사랑하는 열정으로 우리 생활
곳곳에 꼭 필요한 좋은 책을 만들고자 탄생한 Book 콘텐츠 기획 · 제작 전문 회사입니다.

아이세움 논술 | 명작 50

베니스의 상인

원작 셰익스피어 | **엮음** 현소 | **그림** 이영훈 | **감수** 박우현
펴낸날 2008년 4월 25일 초판 1쇄, 2014년 1월 10일 초판 10쇄
펴낸이 김영진

본부장 조은희 | **사업실장** 김경수
편집장 박철주 | **편집 · 진행** 박희정 | **디자인** 서남이
펴낸곳 (주)미래엔 | **주소** 서울시 서초구 잠원동 41-10
전화 마케팅 02)3475-3843~4 편집 02)3475-3924 | **팩스** 02)541-8249
등록 1950년 11월 1일 제16-67호 | **홈페이지** www.i-seum.com

저작권자의 동의 없이 무단 복제 및 전재를 금합니다.
이 책에 쓰인 사진의 저작권은 (주)타임스페이스와 서터스톡에 있습니다.

ISBN 978-89-378-4867-4 74840
ISBN 978-89-378-4116-3 (세트)

· 책값은 뒤표지에 있습니다.
· 파본은 구입처에서 교환해 드리며, 관련 법령에 따라 환불해 드립니다. 다만, 제품 훼손 시 환불이 불가능합니다.

Mirae Ⓝ 아이세움은 (주)미래엔의 어린이책 브랜드입니다.

아이세움 논술 | 명작 50

베니스의 상인

셰익스피어 원작

현소 엮음 | 이영훈 그림

아이세움
i-seum

좋은 책 한 권이 열 학원보다 낫습니다

세월이 가도 우리의 가슴에 남아 있는 책이 고전이요, 시간이 흘러도 우리의 머리에 오래 기억되는 작품이 명작입니다. 좋은 책은 읽는 것만으로도 가치가 있습니다. 어렸을 때 감동 깊게 읽은 책들은 세월이 가도 내 몸에 향기로 남습니다.

책의 향기는 그 어떤 향기보다 향기롭습니다.

독서를 한 후에 생기는 느낌은 상당히 중요합니다. 나의 느낌은 나만의 재산입니다. 그 느낌을 말로 표현하거나 글로 써 보면 한 번 더 생각하는 사람이 됩니다. 한 번 더 생각하면 생각이 깊어지고 정확해집니다.

〈아이세움 논술 | 명작〉은 '좋은 책을 한 번 더 읽자'는 의도에서 만든 것입니다. 책은 읽어야 내 것이 됩니다. 느낌으로 다가오고 생각으로 다가옵니다. 그러나 학년이 올라가면 올라갈

수록 느낌만이 아니라 자신의 생각도 중요해집니다. 나의 생각이 곧 내가 누구인지를 알려 주는 것이기 때문입니다.

어떤 문제에 대해 자신만의 생각을 적절한 이유와 더불어 쓰는 것이 논술입니다. 〈아이세움 논술ㅣ명작〉은 책을 다 읽은 후에 그와 관련된 것들을 한 번 더 생각해 보는 데 도움을 줍니다. 그리하여 우리가 읽은 명작을 내 것이 되도록 도와 줍니다. 논술 워크북과 가이드북이 그 역할을 할 것입니다.

좋은 책 한 권은 열 학원보다 낫습니다.

쓰기가 싫으면 그냥 재미있는 책만 읽어도 됩니다. 명작을 읽는 것만으로도 훌륭한 공부를 하는 것이니까요. 그러다 어느 순간에 쓰고 싶은 생각이 들면 써 보세요. 생각나는 대로 써도 좋습니다. 쓴다는 사실만으로도 한 단계 발전한 것이니까요.

가슴에 쓰는 글은 나를 위해 쓰는 글이며 종이에 쓰는 글은 역사를 위해 쓰는 글입니다. 글이 역사를 만듭니다. 명작과 더불어 향기를 느끼고 자신의 글과 더불어 생각하는 사람이 되기를 진심으로 바랍니다.

전 한우리독서문화운동본부 교육원장

양우현

명작 읽기의 소중함

열심히 책만 읽기에는 너무 고단한 우리 학생들에게 다시 '논술' 열풍이 불고 있다. 학생들이 스스로 즐겨 그렇게 된 것은 아니지만, 학생들을 위해 결코 나쁜 일이라고만 말할 수는 없을 것이다.

새삼스러운 얘기일 터이지만 좋은 글을 쓸 수 있는 가장 빠른 길은 "많이 읽고(다독多讀)·많이 쓰고(다작多作)·많이 생각(다상량多商量)"하는 삼다(三多)밖에 다른 것이 없다.

먼저 다독이 문제다. 많이 읽는다고 해서 아무 책이나 마구잡이로 읽는 것을 다독이라고 하지는 않는다. 많이 읽되, 좋은 책을 읽을 때 그것이 다독이다. 그렇다면 어떤 책이 좋은 책일까?

우선 고전이라 할 명작에는 사람이 세상을 살면서 알아야 할 온갖 삶의 지혜와 가치가 담겨 있다. 가령 〈지킬 박사와 하이드〉에서는 인간 내면에 혼재해 있는 선과 악의 대립을, 〈동물농장〉

에서는 삶을 한없이 타락시키는 전체주의와 아름다운 삶을 지향하는 인간의 무한한 이상의 끊임없는 갈등과 투쟁에 대한 반추를 해 볼 수 있다. 이런 고전을 재미있게 읽고 생각하는 기회를 갖는 것이 바로 좋은 글을 쓸 수 있는 바탕이다. 문제는 고전이 너무 어렵고 분량이 방대하다는 점이다.

이번에 출간된 〈아이세움 논술 | 명작〉은 원전의 내용을 재구성해 어린 학생들이 쉽게 고전과 친해지도록 만들었다. 지루함을 덜기 위해 캐릭터를 사용해서 그 캐릭터들과 끊임없이 교감하며 끝까지 책을 손에서 놓지 못하게 만든 것도 이 시리즈의 특색이요 장점일 터이다. 책 뒤에 논술을 학습할 수 있도록 논술 워크북과 가이드북을 제공하여 '학습과 논술'이라는 두 문제를 다 해결할 수 있도록 배려한 점도 주목할 만하다. 어린 학생들이 편안하고 소중한 독서 경험을 하리라 본다.

물론 이 명작선은 완역본이 아니므로 이것만 읽어서는 해당 작품을 제대로 읽었다고 말할 수 없을 것이다. 그러나 훗날 학생들이 성장하여 완역본으로 다시 읽고 올바르게 이해하는 데 큰 도움이 되도록 세심한 배려를 했다.

이 점도 이 시리즈가 귀하고 값진 이유이다.

시인
신경림

| 차 례 |

나는 **번빠리**야.
뒤뚱아, 너는 사랑과
우정 가운데 어느 것이 더
소중하다고 생각하니?

음, 글쎄.
어려운 문제인걸.
나 **뒤뚱**이는 그래도
우정이 더 소중하다고
생각해.

뭐? 너도 뒤뚱이처럼 사랑보다 우정이 더 소중하다고 생각하는 거야?

아니야, 난 그런 말 한 적 없어.

베니스에서 열리는 명 재판에 꼭 참석하세요.

박테리아   고로케   튜브   팬티맨

PART 1 PART 1

명작 살펴보기

황금과 다이아몬드 보다
더 소중한 게 있다는
안토니오를 만나 볼까?

명작 살펴보기

칼 갈아요, 칼!

집 안이 아주 엉망이에요. 샤일록이 잘 드는 칼을
찾느라 부엌을 온통 헤집어 놓았거든요. 게다가 더 날카롭게
만들려고 칼을 갈기까지 하네요. 도대체 무슨 일 때문에
그러는지 알아볼까요?

〈베니스의 상인〉에
등장하는 샤일록은
피도 눈물도 없어.

에이! 잘
안 갈아지잖아.

샤일록이 대체 뭘 하려고 저러는 걸까요?
뭔가 무시무시한 일이 벌어질 것 같아요.
무슨 일인지 궁금하다면 **책장을 넘겨 볼까요?**

중세 베니스로 떠나 봅시다!

이제부터 읽어 볼 명작은 〈베니스의 상인〉입니다. 영국의 위대한 극작가 셰익스피어의 작품이지요.

이 작품에서는 중세 베니스를 배경으로 다양한 사람들의 이야기가 흥미진진하게 펼쳐집니다. 상인 안토니오와 고리대금업자 샤일록 사이의 갈등이 커다란 줄기를 이루는 가운데 이를 둘러싼 사랑과 우정, 갈등과 화해가 흥미진진하게 그려지지요.

로맨틱한 줄거리와 감미로운 장면이 풍부한 희극이지만 이 작품에는 당시 영국의 런던 시민들이 가지고 있던 반유대 감정을 배경으로 하고 있습니다.

안토니오가 위험하다?

베니스의 무역 상인 안토니오는 우정을 소중하게 생각하는 신사예요. 바사니오는 포샤에게 청혼하기 위해 돈이 필요하다고 안토니오에게 말해요.

안토니오는 친구 바사니오를 위해서 평소 자신을 벼르는 고리대금업자 샤일록에게 돈을 빌리지요. 얼마 뒤 바다로 나간 세 척의 배가 침몰해 안토니오는 파산을 해요. 샤일록에게 돈을 갚지 못한 안토니오에게는 생명을 위협하는 엄청난 일이 벌어지지요.

누가 이 위기를 해결할까요? 과연 위기를 해결하고 모두 행복해질 수 있을까요?

〈베니스의 상인〉은 연극 공연을 위해 쓰여진 희곡 작품이야. 1596년 무렵에 첫 공연을 했대.

Start 발단

매혹의 도시 베니스에 사는 상인 안토니오는 절친한 친구 바사니오가 사랑하는 여인 포샤에게 구혼하기 위해 돈이 필요하다며 빌려 달라고 하자 유대인 고리대금업자 샤일록을 찾아간다.

expansion 전개

평소 안토니오에게 좋지 않은 감정을 가지고 있던 샤일록은 돈을 기한 내에 갚지 못하면 살 1파운드를 떼어 달라고 제안한다. 샤일록의 제안을 받아들인 안토니오는 돈을 빌려 바사니오에게 준다.

climax 절정

바사니오는 포샤와 결혼하지만 파산한 안토니오는 법정에 서게 된다. 샤일록은 약속대로 가슴살 1파운드를 베겠다고 요구한다. 포샤는 바사니오에게 우정을 지키고 안토니오를 구하라고 한다.

ending 결말

샤일록이 안토니오의 살을 베려고 할 때 젊고 지혜로운 재판관의 명판결로 안토니오는 목숨을 건진다. 젊은 재판관은 변장한 포샤로 밝혀진다. 바사니오는 포샤에게 다시 한 번 사랑을 맹세한다.

열어 봐!

셰익스피어가 보여 주는 삶에 대한 통찰

〈베니스의 상인〉에서 위대한 극작가 윌리엄 셰익스피어가 창조해 낸 각각의 인물들은 제각각 살아 움직이고 서로 얽히고설키면서 사건을 만들고 해결해 갑니다. 그 속에는 웃음과 감동 그리고 사람과 사회에 대한 작가의 예리한 시선과 반짝이는 통찰이 담겨 있습니다.

〈베니스의 상인〉은 원래 희곡 작품입니다. 희곡은 무대에 올려 공연하는 것이 목적이므로 등장인물의 대사를 통해 이야기가 전개됩니다. 때문에 인물의 대사 속에 작품의 주제가 녹아 있는 경우가 많지요. 언어의 마술사로 불리는 셰익스피어는 〈베니스의 상인〉에서도 절묘한 대사를 구사하여 재미와 통찰을 동시에 선사하고 있습니다.

◀ 〈베니스의 상인〉은 5막으로 이루어진 희곡으로 쓰여졌어요.

다양한 인물을 통해 깨닫는 소중한 가치

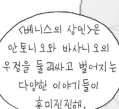
인도와도 바꿀 수 없다고 할 정도로 셰익스피어는 영국이 자랑하는 작가야.

작품의 배경이 되는 중세 베니스는 활발한 무역 도시였어요. 또한 그 시대는 상공업이 발달하는 등 자본주의가 싹트며 사회가 복잡해지던 시기이기도 했지요. 〈베니스의 상인〉에는 이러한 시대 상황이 잘 반영되어 있답니다.

이 작품의 주요 등장인물인 안토니오는 무역 상인이며, 샤일록은 고리대금업자예요. 이들 사이에 금전 관계가 얽혀 생긴 갈등을 통해 작가는 변화하는 시대 상황을 함축해서 보여 주고 있지요. 그리고 그 속에서 사람들이 소중히 여겨야 할 가치가 무엇인지 이야기해요. 또한 다양한 등장인물의 모습은 독자로 하여금 우정, 사랑, 여성의 지위, 차별 같은 문제를 다시 한 번 생각해 보게 만들어요. 작가가 말하는 '소중한 가치'는 무엇인지 생각하면서 작품을 읽어 보세요.

▲ 이 작품은 1500년대의 베니스를 배경으로 쓰여졌어요.

〈베니스의 상인〉은 안토니오와 바사니오의 우정을 둘러싸고 벌어지는 다양한 이야기들이 흥미진진해.

잠시 휴식! 건빵을 먹고 〈베니스의 상인〉을 읽어 보세요!

PART 2
PART 2 PART 2
PART 2 PART 2 PART 2
PART 2 PART 2 PART 2
PART 2 PART 2 PART 2 PART 2
PART 2 PART 2 PART 2 PART 2 PART 2
PART 2 PART 2 PART 2 PART 2 PART 2
PART 2 PART 2 PART 2 PART 2
PART 2 PART 2 PART 2
PART 2 PART 2

명작 읽기

값진 우정과 아름다운 사랑이
흐르는 매혹의 도시
베니스로 떠나 볼까?

PART 2

명작 읽기

1장
친구를 위하여

    화창한 날씨였다. 부둣가에 줄지어 선 배 위에 먼 나라로 실려 갈 궤짝들이 가득 실려 있었다. 궤짝 위로 따가운 햇살이 하얗게 쏟아져 내렸다. 선원들은 구슬땀을 흘리며 활기차게 짐을 실어 나르고 배에 실린 물건들을 정리하느라 분주했다.

    베니스는 무역이 활발한 도시였다. 무척 아름다운 항구 도시이기도 했다. 부둣가에서 조금 떨어진 길에는 단정한 신사복 차림의 세 신사가 나란히 산책을 하고 있었다. 아름다운 도시 베니스의 풍경과 잘 어울리는 우아하고 젊은 신사들이었다.

한 신사의 얼굴에 가벼운 근심이 떠돌았다.

"살레리오, 요즘 내 마음이 왜 이런지 모르겠군."

신사는 한숨을 내쉬며 탄식했다. 그러자 옆에 있던 신사가 재빨리 그 말을 받았다.

"안토니오, 이해하네. 지금 머나먼 바다를 항해 중인 자네의 배들이 어떻게 될까 봐 걱정돼 그러는 거지? 너무 걱정 말게. 자네 무역선들은 날개 달린 독수리처럼 저 험한 바다 위를 쏜살같이 달릴 테니까. 그나저나 자네는 정말 대단해. 나 같으면 나뭇가지와 노닥거리는 미풍微風만 불어도 바다에 나간 배가 거센 파도를 만날까 봐 안절부절못할 거야. 그리고 길가에 구르는 작은 돌멩이만 봐도 배가 바위와 부딪쳐 나의 전 재산

이탈리아 베네토의 주도 베니스는 118개의 작은 섬으로 이루어져 있으며 7~8세기 무렵부터 무역 도시로 번성했어.

이 바다 속에 가라앉을까 봐 밤잠을 설치겠지. 그래도 자

미풍(微風) : 솔솔 부는 약한 바람.

네가 대범하니까 그 정도로 버티는 거야. 나는 그런 자네가 부럽네.”

살레리오의 말을 들으니 무역품(貿易品)을 잔뜩 싣고 머나먼 바다를 항해하는 배들이 눈앞에 보이는 듯했다. 안토니오는 피식 웃었다. 이번 사업에 전 재산을 털어 넣었기 때문에 때때로 불안한 마음이 들기는 했다. 하지만 지금의 감정은 인생 자체에 대한 회의 때문에 생기는 막연한 슬픔 같은 것이었다.

“물론 물건을 가득 실은 무역선들이 갑자기 뒤집히는 것처럼 불행한 사건이야 일어나지 않겠지. 그걸 걱정하는 게 아니라네. 그저 내 인생을 돌이켜보면 문득문득 슬픔이 느껴진다네.”

두 친구의 이야기를 잠자코 듣고 있던 또 다른 신사가 조심스럽게 물었다.

“안토니오, 혹시 연애 문제인가?”

무역품(貿易品) : 나라와 나라 사이에 사고파는 물품.

"하하하. 그건 아니라네, 솔레니오."

안토니오의 대답에 두 친구가 영문을 모르겠다는 표정으로 고개를 갸웃거렸다.

"뭐, 하기야 뚜렷한 이유 없이 마음이 불안하고 서글플 때도 있는 법이지."

솔레니오가 이해한다는 투로 말했다.

그때 말쑥하게 차려입은 세 신사가 그들 쪽으로 다가왔다.

"안토니오, 자네 마음을 가장 잘 이해해 주는 바사니오가 저기 오는군. 아, 그 옆에 그레시아노와 로렌조도 같이 오네. 자네의 마음을 달래 줄 영광스러운 역할은 아무래도 저 친구들에게 넘겨줘야 할 것 같은데. 자, 그럼 이만!"

솔레니오의 말에 살레리오도 고개를 살짝 숙였다.

"그럼 우리는 이만 가 봐야겠네."

"그런 말 말게. 내가 자네들을 얼마나 좋아하는데 그렇

안토니오가 목숨도 아까워하지 않는 친구 바사니오가 드디어 등장하는군.

게 섭섭한 말을 하나? 내게는 자네들도 바사니오 못지않
게 좋은 친구들이라고. 아, 아니군. 다른 볼일이 있으면서
괜히 저 친구들 핑계 대고 떠나려는 거지?”

안토니오의 얼굴에 섭섭함이 묻어났다.

바사니오는 솔레니오와 살레리오 쪽으로 성큼성큼 다
가오더니 활기찬 목소리로 인사했다. 바사니오는 젊고 잘
생긴 얼굴에 성격도 쾌활(快活)한 신사였다.

“아, 여기서 두 분을 만나게 되다니 정말 반갑군요. 언
제 같이 파티라도 합시다. 한바탕 놀면서 두 분과 이야기
를 나누고 싶군요.”

“아, 언제든 환영입니다.”

살레리오와 솔레니오는 바사니오와 예의를 갖추어 인
사를 나누었다. 잠시 바사니오와 대화를 나눈 살레리오와
솔레니오는 볼일이 있다면서 자리를 떠났다. 남은 일행은
두 사람의 모습이 보이지 않을 때까지 배웅했다. 그들이

쾌활(快活) : 명랑하고 활발함.

모퉁이를 돌아 사라지자 바사니오 옆에 서 있던 젊은이가 입을 열었다.

"안토니오, 얼굴빛이 좋지 않군. 세상 돌아가는 일에 지나치게 마음 쓰지 말래도 그러는군."

"이보게, 그레시아노. 나는 인생이라는 무대 위에서 왜 늘 슬픈 역할을 맡아야 하는지 모르겠네."

안토니오의 입에서 가벼운 한숨이 새어 나왔다. 그레시아노는 그런 친구를 본체만체하면서 재빨리 말꼬리를 잡아챘다.

"내가 자네를 좋아하니까 충고 한마디 하지. 자네는 무슨 일이든 너무 심각하게 생각하는 게 흠이라니까. 자네를 꼭 집어서 하는 말은 아니지만 인생이라는 연극 무대에서 굳이 고민하는 역할을 맡으려는 사람들을 난 도저히 이해할 수 없네. 그런 사람들은 늘 우중충한 얼굴을 하고는 침묵을 무기로 삼지. 그러면서 세상 사

람들에게 신비롭다는 둥 사려 깊다는 둥의 평가를 받으려고 한다니까. 나 같으면 차라리 유쾌한 어릿광대 역할을 맡아서 인생을 신나게 즐기겠네."

그레시아노는 신이 나서 장황張皇하게 떠들어 댔다.

그레시아노의 말이 쉽게 그칠 것 같지 않자 옆에 서 있던 신사가 그의 옆구리를 쿡 찔렀다. 그제야 그레시아노는 입맛을 쩝쩝 다셨다.

"로렌조, 이쯤에서 설교를 접으라는 말이지? 하긴 아쉽지만 돌아갈 시간이 됐군."

"하하하! 그레시아노, 자네는 순식간에 나를 침묵을 무기 삼아 칭찬 받으려는 자로 만드는군. 그럼, 다시 만나세. 그레시아노가 하도 말을 많이 하는 바람에 더 이상 시간도 없군."

"나랑 오래 사귄 사람들은 다들 벙어리가 되더라니까!"

그레시아노가 마지막으로 익살을 부렸다.

장황(張皇) : 매우 길고 번거로움.

두 신사는 유쾌한 작별 인사를 하고 돌아섰다. 그들의 뒷모습을 바라보면서 안토니오가 중얼거렸다.

"아이고, 말 많은 사람과 함께 있으니 귀가 다 얼얼하네그려."

"그레시아노는 정말 아무도 못 말릴 친구라네. 베니스에서도 둘째가라면 서러울 허풍선이의 혓바닥을 가졌다니까."

바사니오가 혀를 끌끌 찼다.

항구 쪽에서 소금기 섞인 바람이 불어왔다. 어느새 안토니오는 다시 진지한 표정이 되었다.

"이보게, 바사니오. 오늘은 말해 주겠지? 자네가 비밀스럽게 찾아가 보겠다던 그 처녀 일은 어찌 되어 가나? 요즘 내가 막연히 불안하고 서글픈 건 모두 자네 때문이라네. 자네에게서 통 소식을 들을 수 없으니 말이야. 자, 어서 말해 보게나."

그제야 바사니오는 천천히 이야기를 시작했다.

"자네도 내가 부자가 아니라는 건 잘 알지? 그동안 체

면치레 때문에 분수(分數)에 맞지 않는 생활을 하다 보니 빚까지 짊어지게 되었네. 물론 자네에게도 신세를 많이 졌지. 고맙게 생각하고 있다네. 그런데 아무래도 자네에게 또 도움을 청해야 할 것 같아."

"주저하지 말고 말해 보게. 내가 할 수 있는 일이라면 기꺼이 돕지. 자네와의 우정을 생각하면 전 재산을 내놓아도 아깝지 않다네."

우정을 위해서라면 전 재산을 내놓아도 아깝지 않다고? 대단한 우정이군.

안토니오는 바사니오에게 힘을 실어 주었다. 두 사람은 마치 하나의 심장과 하나의 돈주머니를 가지고 태어난 듯했다.

"그럼 말하지. 내게 지금 근사한 계획이 하나 있다네. 계획대로만 된다면 자네한테 진 빚을 모두 갚고 나의 소원도 이룰 수 있을 거야. 그런데 계획대로 하려면 자네 도움이 필요하네. 그래서 말인

분수(分數) : 자기의 처지에 맞는 한도.

데 자네에게 한 번 더 돈을 꾸어야겠어."

바사니오는 염치가 없다는 듯 잠시 말을 멈추었다가 얼른 덧붙였다.

"안토니오, 내가 너무 갑작스럽게 말해서 놀랐지? 사실은 여자 때문일세. 내가 마음에 두고 있는 포샤는 지금 벨몬트에 산다네. 그 여자는 막대한 유산을 물려받았지. 게다가 천사처럼 아름답고 지혜로운 여자야. 그 옛날 카토의 딸로 브루투스의 아내가 된 포샤에 뒤지지 않는다네. 지금 그녀에게 쟁쟁한 구혼자求婚者들이 밀려들고 있다고 하더군. 자네도 알다시피 나 역시 포샤를 만났지."

"자네가 그 여자를 만나러 간다는 얘기는 들은 적이 있다네. 그래, 어찌 되었는가?"

"포샤는 처음 본 나를 무척 마음에 들어 했네. 하지만 그녀를 다시 만나러 가려면 돈이 필요해. 엄청난 재력과 미모를 갖춘 포샤가 나를 한 번만 더 만난다면 분명 남편

구혼자(求婚者) : 결혼을 청하는 사람.

감으로 선택할 걸세. 그러면 자네에게 진 빚도 모두 갚을 수 있지."

여기까지 말한 바사니오는 안토니오가 자칫 오해라도 할까 봐 서둘러 변명을 했다.

"물론 단지 돈 때문에 포샤에게 청혼하려는 건 아니네. 그녀는 정말 훌륭한 여자일세. 난 진심으로 그녀에게 반했다네."

"물론 자네가 돈 때문에 신붓감을 고르는 천박한 사람이 아니라는 건 누구보다 내가 잘 알지."

안토니오는 잠시 뜸을 들이다가 덧붙였다.

"그런데 지금 내 전 재산을 투자해 사들인 세 척의 무역선이 바다를 항해 중이라네. 그래서 당장은 돈이 없네. 하지만 너무 실망하지 말게. 베니스에서 내 이름을 걸면 자네가 아름다운 아가씨를 만나러 벨몬트에 갈 여비 정도는 충분히 구할 수 있을 걸세. 자, 돈을 빌리러 가 보세."

두 친구는 어깨동무를 한 채 시내 쪽으로 걸어갔다.

2장
포샤의 구혼 법칙

   포샤는 벨몬트 중심가의 저택에 살고 있었다. 누구나 한번 보면 감탄할 만큼 웅장하고 아름다운 집이었다. 골똘히 생각에 잠긴 포샤의 아름다운 얼굴에는 그늘이 드리워져 있었다.

   "네리사, 정말 막막莫莫한 기분이 드는구나."

   "아가씨도 참, 행복에 겨워서 그러시는 거 아니에요? 하긴 뭐, 지나친 건 모자라는 것만 못하다는 말도 있네요. 그러고 보면 배곯지 않을 만큼만 사는 게 제일 행복한 것

막막(莫莫) : 의지할 데 없이 외롭고 답답함.

같아요."

"네 말이 맞아. 오두막집에 살아도 행복하기만 하다면 대궐에 사는 것 못지않거든. 그런데 살다 보면 이렇게 단순한 삶의 이치(理致)를 잊어버리게 된단 말이야. 아버지의 유언을 따르자니 내 청춘의 열정이 뜨겁고……. 아무튼 지금은 매우 답답하구나. 아아, 마음대로 남편감을 고를 수도 없는 신세라니!"

네리사는 동정의 눈빛으로 한탄하는 포샤를 물끄러미 바라보았다.

포샤의 아버지는 세상을 떠나면서 하나뿐인 딸에게 막대한 재산을 물려주었다. 미모 또한 뛰어나 수많은 남자가 포샤의 빛나는 금발을 칭송하는 시를 지어 바쳤다. 포샤는 풍부한 교양까지 갖춘 영리한 아가씨였다.

그런데 포샤의 아버지는 막대한 유산 말고 또 다른 것을 포샤에게 남겨 주었다. 바로 이것이 포샤의 고민거리

이치(理致) : 도리에 맞는 근본 뜻.

였다.

포샤의 아버지는 죽기 전에 포샤의 남편감을 고르는 방법을 정해 놓았다. 일종의 자격시험이었다. 포샤에게 청혼하는 남자들은 미리 준비한 금과 은과 납, 세 개의 상자 중에서 하나를 골라야만 했다. 그중에서 아버지의 뜻이 담긴 특별한 상자를 골라야만 포샤와 결혼할 수 있었다.

포샤의 아버지는 훌륭한 인품人品을 갖춘 청년이라면 자신의 뜻이 담긴 상자를 제대로 고를 거라고 믿었다.

물론 포샤는 아버지의 뜻에 따르기로 했다. 아버지는 지혜로운 사람이었다. 포샤의 아버지를 잘 아는 사람들은 이 방법이 매우 현명하다고 믿었다. 포샤의 시중을 드는 네리사 또한 그렇게 생각했다.

> 아버지의 뜻이 담긴
> 특별한 상자? 음, 바로
> 그 운명의 상자로군.

인품(人品) : 사람이 사람으로서 가지는 품격이나 됨됨이.

"저는 돌아가신 주인어른의 지혜를 믿어요. 아가씨는 틀림없이 훌륭한 분과 결혼하시게 될 거예요."

"고맙구나."

네리사는 포샤의 우울한 얼굴을 보고는 화제를 바꾸기로 했다.

"그건 그렇고, 아가씨는 이제까지 찾아온 분들 중에 맘에 드시는 분이 있으세요?"

"음, 이제까지 찾아온 분들이라……."

"아이 참, 제가 한 분 한 분 말씀드릴 테니까 아가씨의 느낌을 말씀해 보세요. 그럼 먼저, 나폴리의 왕은 어떠셨나요?"

나폴리의 왕이라는 말에 포샤의 얼굴에 경멸輕蔑의 빛이 떠올랐다.

"그분은 정말 자기 자랑이 대단하더구나. 하지만 그 자랑이라는 것도 혼자 힘으로 말의 편자를 갈 수 있다는 둥

경멸(輕蔑) : 깔보아 업신여김.

시시한 것뿐이더군."

"그러면 펠러타인 백작은 어떠셨어요?"

"그이는 노상 얼굴을 찡그리고 있더구나. 농담을 들어도 웃을 줄 모르고. 그런 사람이랑 결혼하느니 해골이랑 사는 게 낫겠어."

포샤는 진저리를 치는 시늉을 했다. 그 모습을 본 네리사는 웃음을 터뜨렸다.

"그렇다면 프랑스 귀족 르봉 씨는 어떠세요?"

"남의 흉을 보는 게 좋지 않다는 건 알지만 그분에게는 단 한 가지도 좋은 말을 해 줄 수가 없구나. 자기 자랑을 늘어놓는 건 나폴리 왕을 뺨칠 정도이고, 찡그린 얼굴은 펠러타인 백작의 표정보다 훨씬 더 보기 흉하지. 그 정도의 남자라면 아무리 날 사랑한다 해도 내 마음은 꿈쩍도 하지 않을 거야."

네리사는 계속해서 영국의 포큰브리지 남작이며, 스코틀랜드에서 온 귀족이며, 색소니 공작의 조카에 대해서 물어보았다. 그러나 포샤의 반응은 매번 시큰둥했다. 포

큰브리지 남작은 미남이긴 하지만 언어가 달라서 말이 통하지 않고, 스코틀랜드 귀족은 마음이 좁으며, 색소니 공작의 조카는 술버릇이 고약하다고 트집을 잡았다.

"만약 색소니 공작의 조카 분이 시험을 치르겠다고 하면 어떡하죠? 그분이 올바른 상자를 고르면 아가씨는 주인어른의 유언에 따라서 그분과 결혼해야 하나요?"

누구라도 올바른 상자를 고르면 그 상대와 결혼을 해야만 해. 그게 아버지의 유언이잖아.

"그러니까 그런 일이 없도록 해야지. 그 사람이 상자를 고르겠다고 덤비면 틀린 상자 위에 포도주라도 올려놓고 꼬드길 거야."

포샤와 네리사는 얼굴을 마주 보고 깔깔거렸다. 네리사는 너무 웃어서 찔끔 나온 눈물을 닦으며 말했다.

"아가씨, 너무 걱정 마세요. 전 그분이 올바른 상자를 고를 만한 지혜가 있다고는 절대 믿지 않으니까요. 그런 분은 아가씨와 결혼할 수 없어요. 주인어른의 유언에 따르지 않고 다른 방법으로 아가씨와 결혼한다면 또 모르지만요."

"그런 방법은 없어. 난 반드시 아버지의 유언에 따를 거니까. 그러지 못할 바에는 달의 여신처럼 독신으로 살다 죽을 테야."

포샤가 진지(眞摯)한 표정으로 말했다. 그때 네리사의 머릿속에 한 사람이 문득 떠올랐다.

"혹시 그분 기억나세요? 주인어른이 살아 계실 때 오셨던 베니스 분 말이에요. 이름이……."

"음, 바사니오 씨 말이지?"

포샤의 대답을 듣자 네리사는 생긋 웃었다.

"역시 아가씨도 기억하시는군요. 제 멍청한 눈으로 보기에는 그분이야말로 아름다운 아내를 맞으실 자격이 충분한 것 같았어요. 외모나 인품 모두 훌륭하시더군요."

"그래, 네 말대로 훌륭한 분이신 것 같았어."

포샤의 얼굴빛이 환해지는 것을 네리사도 알아챘다.

진지(眞摯) : 마음 쓰는 태도나 행동 따위가 참되고 착실함.

그때 하인 하나가 방 안으로 돌아왔다. 하인은 공손히 예를 갖추어 입을 열었다.

"손님들이 아가씨를 뵙고 떠나시겠답니다. 그리고 오늘 밤 모로코 왕께서 이곳에 도착하신다는 전갈을 받았습니다."

"떠나보내는 마음은 기쁘지만 모로코 왕이 오신다는 건 별로 반갑지 않구나. 아아, 우선 손님들을 보내 드려야겠다. 하지만 그분들이 나 때문에 다른 여자에게는 영영 청혼을 하지 못하게 돼 걱정이구나. 어쨌든 내가 바라던 대로 되었으니 마지막으로 극진極盡하게 대접해 보내 드리자꾸나."

포샤의 아버지가 정한 청혼 방법에는 세 가지 조건이 있었다.

첫째, 자기가 고른 상자에 대해 그 누구에게도 말해서는 안 되었다.

극진(極盡) : 마음과 힘을 더하여 애를 쓰는 것이 매우 지극함.

둘째, 잘못된 상자를 골라 포샤와 결혼하지 못하면 기회는 다시 주어지지 않으며 곧바로 포샤의 집을 떠나야 했다.

그 다음 셋째 조건이 가장 까다로웠다. 포샤에게 청혼한 다음에는 어느 여자에게도 청혼하지 않는다고 맹세해야 했다. 셋째 조건은 자칫하면 포샤에게 아무도 청혼하지 않을 수 있는 조건이었다.

그러나 포샤는 무슨 일이 있더라도 아버지의 유언을 꼭 지키기로 했다. 설령 처녀로 늙어 죽는 한이 있어도 이 결심만은 변치 않으리라 다짐했다.

그러나 포샤 아버지의 유언은 멋지게 맞아떨어졌다. 까다로운 조건을 무릅쓰고 용감한 구혼자들이 끊임없이 포샤를 찾아온다는 것이 그 증거였다.

3장
고리대금업자 샤일록

바사니오와 안토니오는 돈을 빌리기 위해 베니스 시내를 여기저기 돌아다녔다. 그러나 돈은 쉽게 구해지지 않았다. 고민 끝에 두 사람은 따로따로 다니면서 돈을 빌려 줄 만한 사람을 찾아보기로 했다. 바사니오는 몇 군데에서 퇴짜를 맞았다. 그러다가 마침내 샤일록이라는 고리대금업자高利貸金業者의 사무실을 찾아갔다.

샤일록은 유대 인 출신으로 악명 높은 고리대금업자였

고리대금업자(高利貸金業者) : 비싼 이자를 받고 돈 빌려 주는 일을 직업으로 하는 사람.

다. 샤일록은 지나치게 높은 이자를 받고 돈을 빌려 주어 많은 이들의 원망을 사는 사람이었다. 바사니오는 이런 사람에게 돈을 빌린다는 것이 썩 내키지 않았지만 달리 방법이 없었다. 어떻게 해서든 돈을 구해 포샤를 만나러 가고 싶었던 것이다.

바사니오의 다급한 마음과 달리 샤일록은 돈을 빌려 주기를 꺼리는 눈치였다.

"흠, 3천 두카토를 빌려 달라는 말인가?"

"네, 석 달 안으로 꼭 갚겠습니다."

"그러나 그게……."

샤일록이 말끝을 흐리자 바사니오가 얼른 나섰다.

"아, 보증保證이 필요하겠군요. 물론 저에게는 보증을 서 줄 친구가 있습니다. 안토니오라는 아주 성실한 친구지요."

"안토니오라고?"

보증(保證) : 어떤 사물이나 사람에 대해 책임지고 틀림이 없음을 증명함.

순간 샤일록의 눈빛이 반짝 빛났다.

"네, 그 친구를 아시나요?"

샤일록은 눈을 가늘게 뜨고 잠시 생각에 잠겼다. 그러고는 얇은 입술을 핥아 침을 축이고는 대답했다.

"물론 잘 알지. 그 정도 재력을 가진 청년이 보증을 선다면 믿을 만하군. 그러나 내가 들기로는 안토니오가 전 재산을 쏟아 부어 산 세 척의 배를 몽땅 바다로 내보냈다고 하던데. 한 척은 트리폴리, 한 척은 서인도, 또 한 척은 멕시코를 향하고 있다고 들었네. 그 정도면 재산은 충분하지만 너무 위험 부담이 크다는 게 문제지. 바다에는 수많은 위험이 도사리고 있으니까. 바람이 거세거나 파도가 높으면 배가 가라앉을 수도 있고, 해적 떼가 언제 튀어나올지도 모르고 말이야. 으흠, 생각 좀 해 보지."

리비아의 수도 트리폴리는 아프리카 북부 지중해에 접해 있는 항구 도시야.

샤일록이 한참 뜸을 들이자 바사니오는 안달이 났다.

"어서 말씀 좀 하시지요. 저를 도와주시겠다는 겁니까? 제 청을 들어주실 건가요?"

"일단 자네가 내세운 보증인을 믿어 보기로 하지. 그런데 그 전에 안토니오를 한 번 만나보고 싶군."

"아, 그렇다면 오늘 저희와 같이 식사를 하시죠."

"글쎄……."

샤일록은 다시 말끝을 흐렸다.

그때 마침 안토니오가 사무실 안으로 쑥 들어왔다.

"바사니오, 자네 여기 있었군!"

"안토니오, 마침 잘 왔네! 샤일록 씨, 잠시 안토니오와 이야기 좀 하겠습니다."

바사니오는 안토니오의 손을 잡더니 사무실 한쪽 구석으로 끌고 갔다. 그러고는 그동안 샤일록과 나눈 말들을 들려주었다.

샤일록은 그 모습을 차가운 시선으로 바라보며 생각에 잠겼다.

'안토니오란 녀석은 언제 봐도 밉상이야. 눈엣가시란

말이야.'

샤일록은 안토니오를 굉장히 미워했다.

베니스의 고리대금업자는 대부분 유대 인이었다. 샤일록 역시 유대 인이었다. 유대 인은 자기들만의 종교가 있는데, 그 종교에 따르면 오직 유대 인만이 신에게 구원을 받을 수 있다고 했다. 그런 만큼 유대 인은 자기들만의 자부심自負心과 결속력이 대단했다.

그런데 대부분이 기독교인인 베니스의 상인들은 이런 유대 인을 종종 비난하고 업신여겼다. 유대 인이 성경에서 금하는 고리대금업을 한다는 것이 그 이유였다.

샤일록은 안토니오를 그 대표적 인물로 생각했다. 게다가 안토니오는 사람들에게 돈을 빌려 줄 때 이자는 한 푼도 받지 않았다. 그러다 보니 샤일록을 비롯한 베니스의 고리대금업자들은 돈을 빌려 주고도 이자를 충분히 받을 수 없었다.

자부심(自負心) : 자기의 가치나 능력을 스스로 믿는 마음.

'저 녀석은 언제나 사람들 앞에서 큰 소리로 나를 비난하지. 내가 이자를 받는다고 말이야. 내 언젠가 혼쭐을 내주고 말 테다.'

한편 바사니오와 안토니오는 샤일록이 무슨 생각을 하는지 까맣게 몰랐다. 바사니오의 말을 듣고 난 안토니오가 샤일록 쪽으로 다가왔다.

아브라함은 구약 성경 창세기에 나오는 이스라엘 민족의 시조란다.

"샤일록 씨, 금전 거래는 이자 없이 하는 게 내 원칙이지만 이번만은 그 원칙을 깨뜨리고 당신과 거래하지요. 자, 내가 직접 거래할 테니 보증인을 따로 세울 필요도 없겠지요?"

"그러게. 흠, 그런데 지금 금전 거래를 할 때 이자를 받지 않는다고 했나? 자네는 성경을 제대로 읽기나 한 건가? 내가 야곱에 대해 이야기해 주지."

"야곱이 이자라도 받았단 말입니까?"

"안토니오, 내 말을 잘 들어 보게. 야곱이 아브라함의 손자라는 것은 잘 알고 있겠지? 야곱이 외삼촌의 양을 치던 시절에 어떤 일이 있었는지 아나? 그때 야곱은 양이 새끼를 낳았을 때 점박이가 있으면 자기가 갖는다는 약속을 외삼촌과 했다네. 그러고는 속임수를 써서 어미 양이 계속 점박이 양만 낳도록 했지. 자, 이게 바로 성경에 나와 있는 부자가 되는 방법이야. 도둑질만 하지 않는다면 어떤 식으로 돈을 벌든 축복 받을 일이지. 나도 야곱처럼 돈이 새끼를 치게 만들었는데 그게 무슨 흉이 된단 말인가?"

"샤일록 씨, 그 이야기에는 부자가 되고 안 되고는 하나님의 뜻에 달린 거라는 귀중한 진리가 담겨 있습니다. 그런데 당신은 고귀한 성경을 제멋대로 인용해서 이자 받는 일을 정당화하는군요."

샤일록과 안토니오의 눈이 마주쳤다. 두 사람은 눈에 불꽃을 튀기며 서로를 노려보았다. 샤일록이 먼저 입을 열었다.

인용(引用) : 남의 글이나 말 가운데서 필요한 부분을 끌어다 씀.

"안토니오, 내가 이자를 받는다고 욕하고 다니는 것을 모를 줄 아나? 그런데 자네는 이제 와서 내 돈을 빌리려고 하는군. 그것도 아주 당당하게 말이야. 지금 자네의 태도는 도움을 주는 내가 오히려 개처럼 비굴해야 한다고 말하는 것 같네. 자네에게 개 취급을 받은 내가 자네 앞에 엎드려 꼬리를 흔들면서 3천 두카토를 바쳐야 한다고 생각하나?"

옛날 유럽 대륙에서 사용했던 금화와 은화를 두카토라고 했어. 영어로는 더컷, 프랑스 어로는 뒤카라고 했단다.

"샤일록 씨, 난 앞으로도 이자를 받는 당신 행위에 침을 뱉을 겁니다. 당신이 내게 돈을 빌려 준다고 내 태도가 달라지리라고는 기대하지 마세요. 사람들에게 이자를 받고 돈을 빌려 주는 이상 난 당신을 친구라고 생각할 수 없습니다. 그러니 당신도 원수에게 돈을 빌려 준다고 생각하시죠."

순간 샤일록의 눈빛이 번뜩였다. 그러나 곧 표정을 바꾸었다. 그러고는 얇은 입술을 달싹거렸다.

"아니, 왜 그렇게 사납게 말하는 건가? 난 자네에게 이자를 받을 생각이 없다네. 자네와는 우정을 나누고 싶다니까. 이 말은 내 진심일세."

"그렇다면 고마운 일이지만……."

샤일록의 태도가 달라지자 안토니오는 얼떨떨한 표정을 지으며 뒷말을 잇지 못했다.

"자, 나를 믿고 지금 바로 계약서를 작성하세. 석 달 동안 3천 두카토가 필요하다고 했나? 이자는 한 푼도 받지 않을 테니 계약서에 형식적인 조항이나 하나 달아 두지. 빌려 간 돈을 석 달 안에 갚지 못할 때는 위약금違約金으로 자네의 기름진 살을 딱 1파운드만 베어 낸다고 말이야. 부위는 가슴 쪽이 좋겠군."

샤일록은 얼굴 가득 음흉한 미소를 지으며 안토니오를 바라보았다.

위약금(違約金) : 갚아야 할 돈을 갚지 않을 경우 돈을 받을 사람에게 생기는 손해를 배상하기로 미리 약속한 돈.

"그러지요. 석 달이면 돈을 갚고도 남을 테니까요. 기꺼이 계약서에 서명하겠습니다."

안토니오는 대수롭지 않은 얼굴로 대꾸했다.

옆에서 듣고 있던 바사니오가 깜짝 놀라서 안토니오를 말렸다.

"안 되네. 살을 베어 내라니, 그렇게 끔찍한 계약이 어디 있나? 차라리 내가 돈 빌리는 일을 포기하겠네."

바사니오의 태도를 보고 샤일록이 얼른 끼어들었다.

"맙소사! 바사니오, 설령 계약이 깨졌다손치더라도 내가 자네 친구 몸에서 살을 베어 내어 어디에 쓰겠나? 이건 그냥 형식일 뿐이네. 나로서는 우정을 베푸는 일인데 이렇게 오해를 받을 바에야 차라리 이번 계약은 접는 게 낫겠군."

"아닙니다, 계약서에 서명한다니까요."

안토니오가 다시 한 번 말했다.

샤일록은 씩 웃으며 돈을 마련하러 집에 갔다 오겠다면서 자리를 떴다.

"아니, 저자가 언제부터 저렇게 친절해졌나?"

안토니오는 영문을 모르겠다는 표정으로 중얼거렸다.

잠시 뒤 샤일록이 약속한 돈을 마련하여 사무실로 돌아왔다. 계약서를 작성하고 서명이 끝난 뒤에도 샤일록은 안토니오와 바사니오에게 무척 친절히 대했다. 이것저것 물으면서 마음을 써 주기도 했다. 심지어 바사니오에게는 좋은 하인을 보내 줄 테니 마음에 들면 바사니오의 집에 두고 부려도 좋다는 말까지 했다.

샤일록이 웬일로 하인까지 보내 준다고 하지. 무슨 속셈이 있는 거 아닐까?

그러다 보니 바사니오도 샤일록의 호의를 무시할 수가 없었다. 그래서 썩 내키지는 않았지만 며칠 뒤 저녁 식사에 초대했다.

그 뒤로 며칠 동안 바사니오는 찜찜한 기분을 떨칠 수 없었다. 바사니오는 안토니오를 찾아가 걱정스러운 얼굴로 물었다.

"안토니오, 정말 괜찮겠나? 난 저렇게 뱃속이 시커먼 사람은 믿을 수가 없네."

"계약서 내용은 너무 걱정하지 말게. 지금 항해 중인 무역선이 돌아오면 그깟 3천 두카토쯤은 당장 갚을 수 있는 돈이네. 자네는 그 아름다운 아가씨에게만 신경을 쓰게나. 아무튼 순풍順風이 불면 떠날 거지?"

안토니오의 말에 바사니오는 잠시 잊고 있던 포샤를 떠올렸다. 그녀와의 만남을 생각하자 마음이 설레었다.

"안토니오, 그럼 이따 저녁 식사 때 보세. 샤일록도 초대했다네."

"다섯 시까지 가겠네."

바사니오는 집으로 돌아와 손님 맞을 준비를 했다. 오늘 저녁 식사에는 안토니오와 샤일록뿐 아니라 그레시아노, 로렌조, 살레리오, 솔레니오 같은 친구들을 모두 초대했다.

식사를 마친 뒤에는 가장행렬假裝行列을 벌일 계획도 세

순풍(順風) : 배가 가는 쪽으로 부는 바람.
가장행렬(假裝行列) : 운동회나 축제 따위에서 여러 사람이 갖가지 모습으로 가장하고 줄지어 가는 일.

위 두었다. 바사니오는 포샤가 사는 벨몬트로 떠나기 전에 놀기 좋아하는 친구들과 함께 유쾌한 시간을 보내고 싶었던 것이다.

그날 낯선 사람이 바사니오를 찾아왔다. 샤일록이 쓸 만한 하인이라고 추천했던 바로 그 사람이었다. 조금 수다스러운 것이 흠이었지만 바사니오는 그 하인의 말재간이 맘에 들었다. 그래서 하인으로 삼기로 했다.

"고맙습니다요, 드디어 주인어른 집에서 벗어나게 되었군요. 그동안 저는 그 집에서 도망치고 싶어 얼마나 고민했는지 모릅니다요. 양심良心이 제대로 박힌 사람이라면 그렇게 사악한 고리대금업자 밑에서 일하기 힘들 거예요. 지금 당장 그놈, 아니 전 주인어른에게 작별 인사를 하고 오겠습니다요."

하인은 덩실덩실 춤까지 추면서 걸어갔다. 인정머리 없

양심(良心) : 자기의 행위에 대하여 옳고 그름을 판단하고, 바른 말과 행동을 하려는 마음.

고 욕심 많은 샤일록의 집에서 나온다는 것만으로도 하늘을 날 것처럼 신이 났다.

샤일록의 집에서 나오고 싶어 하는 사람은 하인뿐만이 아니었다. 샤일록의 딸 제시카 역시 자기 아버지 곁을 떠날 준비를 하고 있었다. 하지만 샤일록은 이 사실을 까맣게 몰랐다.

하인이 집을 떠나 바사니오의 집으로 옮기겠다고 말하자 샤일록은 기고만장했다.

음, 그런 속셈이 있었군. 그러면 그렇지!

"그래, 이제 바사니오의 집에서 일하게 됐단 말이지? 흥, 이제 너도 알게 될 거다. 나와 바사니오의 차이를 말이다. 내 집에서처럼 배불리 먹는 일은 꿈도 꾸지 못할걸. 그 입도 함부로 놀리지 못하게 될 거다. 제시카, 너도 그렇게 생각하지?"

샤일록이 하인을 바사니오에게 보내려고 하는데는 이유가 있었다. 수다쟁이에다 게으름이나 피우고 먹는 것을 지나치게 밝혀 늘 샤일록을 골치 아프게 했기 때문이다.

'이렇게 먹을 거나 밝히는 녀석을 하인으로 보내서 빚 쟁이 친구들의 재산이나 축나게 해야지.'

샤일록에게는 이런 꿍꿍이가 있었다. 샤일록의 속내를 눈치 챈 제시카는 씁쓸한 미소를 지었다.

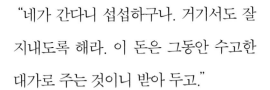

그 아버지에 그 딸은 아니로군. 제시카는 고약한 아버지를 닮지는 않았어.

"네가 간다니 섭섭하구나. 거기서도 잘 지내도록 해라. 이 돈은 그동안 수고한 대가로 주는 것이니 받아 두고."

제시카가 하인에게 돈을 건넸다. 그러 고는 아버지 눈을 피해 편지를 그의 손에 쥐어 주었다. 눈치 빠른 하인은 얼른 받아 그것을 몸에 숨겼다. 제시카가 로렌조에 게 보내는 편지였다.

제시카는 진심으로 로렌조를 사랑했다. 그래서 로렌조와 결혼해 아버지 곁을 떠나는 것이 소원이 었다. 그러나 샤일록이 기독교인인 로렌조와의 결혼을 허 락할 리 없었다. 제시카는 도망을 쳐서라도 로렌조와 결 혼하겠다고 결심했다. 편지에는 함께 달아날 계획이 쓰여 있었다.

샤일록은 딸이 하인에게 돈을 주는 것을 보고 못마땅해
서 잔소리를 했다.

"제시카, 게으르고 먹을 것만 밝히는 녀석에게 돈은 왜
주는 거냐? 다 쓸데없는 짓이라는 걸 모르느냐? 쯧쯧.
그건 그렇고, 나는 오늘 저녁 초대를 받았단다. 자, 열쇠
를 줄 테니 문단속 잘하고 있어라. 오늘 가장행렬도 열린
다고 하니 문을 잘 잠그고 있도록 해라. 물론 나는 바보
같은 가장행렬에 참가할 마음은 전혀 없다. 하지만 식사
뒤에 일이 있어 조금 늦을 거다. 아, 정말 내키지 않는 초
대로군. 이 녀석아, 바사니오의 집까지 네가 앞장서라."

"안녕히 다녀오세요."

제시카는 아버지와 하인의 뒷모습을 물끄러미 바라보
면서 혼잣말처럼 중얼거렸다.

"오늘 밤에 아버지는 하나뿐인 딸을 잃게 될 거예요.
그러나 로렌조 님을 생각하면 내 가슴에 희망이 차오르는
군요."

제시카는 어서 빨리 시간이 가기만을 기다렸다.

밤 9시가 넘어갈 무렵 가장행렬 복장을 한 그레시아노, 로렌조, 살레리오가 샤일록의 집 처마 밑에 모여들었다. 다들 무척이나 요란한 차림새였다. 놀기 좋아하고 쾌활한 젊은 신사들은 저녁 식사를 끝내자마자 바사니오의 집에서 살그머니 빠져나왔다. 그리고는 가장행렬 복장을 갖추느라 공을 들인 뒤 이렇게 모인 것이다.

마음을 졸이며 기다리던 제시카 역시 소년 복장으로 갈아입은 뒤 집에서 빠져나왔다.

"아, 제시카!"

로렌조는 사랑하는 여인의 손을 잡았다.

"편지를 무사히 받으셨군요. 제가 이 날을 얼마나 기다렸는지 몰라요."

"당신은 소년으로 변장해도 여전히 아름답군."

로렌조는 그윽한 눈길로 제시카를 바라보았다. 로렌조 역시 제시카를 진심으로 사랑하고 있었다. 그레시아노와 살레리오는 두 사람의 앞날을 축복했다.

"자, 그러면 이제 가장행렬의 대열에 섞여서 걸어갑시다. 제시카, 아무도 당신을 알아보지 못할 겁니다. 아, 저기 안토니오가 오는군."

안토니오가 숨을 헐떡이면서 달려왔다.

"그레시아노, 여기 있었군. 바사니오가 가장행렬을 취소하고 곧 벨몬트로 떠나기로 했네. 순풍이 불기 시작했거든. 자네도 함께 가기로 했다면서? 자, 빨리 부두로 가 보게나."

"맞아. 점잖게 행동하겠다고 단단히 약속하고서야 따라가도 좋다는 허락을 받았지. 이제 와서 나를 떼어 놓을 순 없을걸. 어서 가야겠군."

그레시아노는 서둘러 항구로 향했다.

4장
줄을 잇는 구혼자들

포샤의 집에는 수많은 구혼자가 몰려들었다. 그러나 이들은 아무 소득도 없이 돌아가야 했다. 똑같은 일을 되풀이하자니 포샤도 무척 피곤했다. 하지만 포샤는 한결같은 태도로 구혼자들을 상대했다. 포샤가 목이 빠지게 기다리는 구혼자에게서는 오늘도 아무런 소식이 없었다.

포샤의 집에 또 한 명의 구혼자가 도착했다. 포샤는 정중鄭重하게 구혼자를 맞아 이야기를 나누었다. 구혼자는 바로 모로코의 왕이었다. 기세 좋게 하인들을 거느리고

정중(鄭重) : 태도나 분위기가 점잖고 엄숙함.

온 모로코 왕은 번쩍이는 선물들을 앞세워 포샤의 마음을
사로잡으려 했다.

이윽고 검은 피부의 모로코 왕이 포샤 앞에 무릎을 꿇
었다. 그의 눈은 번뜩였으며, 몸은 건장健壯하고 강인해
보였다. 모로코 왕이 입을 열 때마다 새하얀 이가 가지런
히 드러났다.

"나의 여왕이시여, 내 얼굴색이 검다고 싫어하시지는
않겠지요? 이건 태양이 입혀 준 검은 빛깔의 멋진 옷이랍
니다. 내 얼굴을 보고 적군들은 겁을 내어 달아나고, 아름
다운 처녀들은 사랑에 빠지지요."

모로코 왕의 거창한 자기소개가 끝나자 포샤는 정중한
태도로 상황을 설명했다.

"저는 제 마음대로 남편감을 선택할 수 없답니다. 저의
아버지가 돌아가시기 전에 제 남편을 고르는 방법을 정해
놓으셨거든요. 저는 그것에 따라 남편을 맞아들여야 합니

건장(健壯) : 몸이 튼튼하고 기운이 셈.

다. 물론 전하처럼 훌륭하신 분께는 얼마든지 저를 아내로 맞이할 기회를 드리겠어요."

모로코 왕은 포샤의 마지막 말이 기분 좋은지 흐뭇한 표정을 지었다. 포샤는 예의 바른 미소를 지으며 다음 말을 이어 갔다.

정답이 아닌 상자를 고르면 모로코 왕은 평생 혼자 살아야 하는 거야?

"전하는 이제 세 개의 상자를 보시게 될 거예요. 그중에서 하나를 고르시면 됩니다. 정답은 단 하나로, 그것을 고르신다면 저는 전하와 결혼할 거예요. 그러나 정답이 아닌 상자를 고르시면 아무 말 없이 돌아가 주세요. 그리고 이후로는 어느 처녀에게도 청혼하지 않겠다는 맹세를 지금 해 주세요."

"물론입니다. 기꺼이 그렇게 하고말고요. 당신을 얻기 위해서라면 아무리 무서운 운명이 기다린다 해도 그 속에 뛰어들 겁니다."

"고마워요. 그럼 우선 교회에 가서서 맹세해 주세요.

그 다음에 운명을 시험할 기회를 드리지요."

잠시 뒤 모로코 왕이 교회에서 맹세 의식을 거행하고
돌아왔다.

"나의 여왕이여, 이제는 행운의 신이 내게 오시기를 빌
어 주십시오."

포샤는 모로코 왕을 상자들이 보관되어 있는 방으로 안
내했다. 포샤가 휘장揮帳을 젖히자 세 개의 상자가 모습을
드러냈다.

"자, 그럼 골라 보시지요."

네리사는 포샤의 표정을 흘낏 훔쳐보고는 속으로 생각
했다.

'용맹스러워 보이는 모로코 왕도 아가씨 마음에는 들
지 않는가 봐. 안됐지만 제발 다른 상자를 고르시기를!'

모로코 왕은 위엄 있는 걸음걸이로 상자들 쪽으로 다가
갔다. 그러고는 상자들을 들여다보았다. 제일 먼저 금으

휘장(揮帳) : 여러 폭의 피륙을 이어서 만든 둘러치는 막.

로 만들어진 상자, 즉 금궤를 조사했다. 금궤에는 다음과
같은 글이 새겨져 있었다.

나를 고르는 자는 만인이 소망하는 것을 얻으리라.

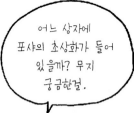
어느 상자에
포샤의 초상화가 들어
있을까? 무지
궁금한걸.

모로코 왕은 의미심장한 미소를 지
었다. 다음에는 은궤에 새겨진 글을
읽었다.

나를 고르는 자는 신분에 어울리는 것
을 얻으리라.

모로코 왕의 시선은 재빨리 바로 옆에 놓인
상자로 향했다. 납으로 만든 상자, 즉 납궤에는 다음과 같
은 글이 새겨져 있었다.

나를 고르는 자는 전 재산을 내놓고 운명을 걸게 되리라.

"이 중에서 하나의 상자 속에는 저의 초상화가 들어 있어요. 그걸 고르시면 저는 전하의 아내가 될 거예요."

포샤가 나직한 목소리로 말했다.

"신께서 저를 올바른 길로 인도해 주시기를!"

모로코 왕은 간절한 마음으로 기도를 올리고 오랫동안 고민했다. 처음부터 금궤에 마음이 끌렸으나 좀 더 신중할 필요가 있었다.

모로코 왕은 우선 납궤에 대해 생각해 보았다. 납궤에 새긴 글귀가 마음에 들지 않았다. 너무 무례하게 느껴졌다.

'아무래도 돼먹지 않은 협박 같아. 황금 같은 마음은 그런 데 굴복 당하지 않지. 납궤는 탈락!'

다음에는 은궤에 대해 생각해 보았다. 신분에 어울리는 것을 얻는다는 글귀는 그럴듯했다. 모로코 왕이 볼 때 포샤는 분명 자기 신분에 어울리는 여자였다. 그러나 마음에 걸리는 것이 있었다.

'신분으로 보면 이 아가씨를 얻을 만하지. 가문으로 보나, 인품으로 보나, 교양으로 보나 당연히 얻을 만해. 그러면 은궤를 고를까? 아니야, 아름다운 포샤 양의 초상화가 고작 은궤 따위에 들어 있지는 않을 거야. 은이란 처녀처럼 순결해 보이기는 하지만 고결한 포샤 양에 비하면 너무 초라한 것 같아.'

한참이나 갈등하던 모로코 왕의 마음은 결국 금궤로 기울었다.

"자, 드디어 마음을 정했습니다. 난 금궤를 골랐어요. 만인萬人이 소원하는 것이란 바로 포샤 양, 당신을 뜻하는 것이지요. 세상 모든 남자가 당신을 얻기 위해 달려왔으니까요. 고귀한 당신의 초상화가 납궤나 은궤에 들어 있다는 건 상상도 할 수 없는 일입니다. 오직 값진 금만이 당신이라는 보석을 감싸 안을 수 있지요. 자, 열쇠를 이리 줘요. 어서 금궤를 열어 아름다운 당신의 초상화를 보고 싶습니다."

포샤는 열쇠를 모로코 왕에게 건네주었다. 모로코 왕은

만인(만인) : 모든 사람.

긴장한 표정으로 금궤를 열었다. 순간 그의 입가에 허탈한 미소가 스치고 지나갔다.

금궤 속에 들어 있는 것은 포샤의 초상화가 아니라 해골이었다. 해골의 푹 꺼진 눈 속에 쪽지가 꽂혀 있었다.

빛나는 것이라고 다 금이 아님을

누구나 알고 있지만

사람들은 내 겉모습에 홀려

목숨조차 팔아 치우는구나.

황금 무덤에 구더기 우글거린다.

그대가 용감한 만큼 현명했더라면

더 깊은 지혜를 가졌더라면

이런 대답을 받지는 않았을 터.

잘 가시오, 이제 그대의 소원은 얼어붙었구나.

"아, 이럴 수가!"

모로코 왕은 크게 실망했으나 역시 왕은 왕이었다. 주

저리주저리 푸념을 늘어놓을 만큼 품위 없는 사내는 아니
었다. 모로코 왕은 자신의 맹세에 따라 곧바로 떠날 채비
를 했다.

"패자敗者의 작별 인사가 길면 추한 법이지요. 안녕히
계십시오, 포샤 양."

"전하, 안녕히 가세요."

모로코 왕이 떠나자 비로소 포샤도 긴장을
풀었다. 실은 모로코 왕이 올바른 상자
를 고를까 봐 내내 마음을 졸였던 것이
다. 게다가 모로코 왕이 자신의 맹세대
로 서둘러 떠난 것이 얼마나 다행스러운
지 몰랐다.

얼마 뒤 포샤의 집에 또다시 긴장감
이 맴돌았다. 아라곤 왕이 청혼을 하기
위해 찾아왔기 때문이다.

아라곤은 에스파냐
북동부에 있는 왕국이었는데
지금은 에스파냐에
속한단다.

패자(敗者) : 싸움이나 경기에서 진 사람.

포샤는 상자가 있는 방에서 불안하게 서성거렸다. 그때 네리사가 허겁지겁 방 안으로 들어왔다.

"아가씨, 아라곤 왕께서 맹세 의식을 마치고 들어오십니다."

"알았다."

포샤는 몸을 꼿꼿이 세워 구혼자를 맞을 준비를 했다. 잠시 뒤 아라곤 왕이 당당한 걸음으로 방 안으로 들어왔다.

키가 훤칠하고 잘생긴 아라곤 왕은 고상한 분위기를 풍겼다. 그러나 사람을 대하는 태도나 몸가짐에는 오만(傲慢)함이 배어 있었다.

"어서 오세요, 전하."

"그대가 말한 대로 교회에서 세 가지 맹세를 하고 왔소. 나는 아무에게도 내가 고른

키도 훤칠하고 얼굴도 잘 생긴데다 고상한 분위기까지 풍기는데 오만하다고? 옥에 티군.

오만(傲慢): 태도나 행동이 건방지거나 거만함. 또는 그 태도나 행동.

것에 대해 말하지 않을 것이며, 내가 실패할 경우 곧바로 이곳을 떠날 거요. 그 뒤에는 어떤 처녀에게도 청혼을 하지 않을 거요. 자, 그러면 내가 당신을 얻기 위해 무엇을 하면 되는지 알려 주시오."

"저기 세 개의 상자가 있습니다. 그 가운데 제 초상화가 들어 있는 상자를 고르시면 전하와 저는 결혼식을 올릴 것입니다."

"알겠소. 물론 그대는 나의 행운을 빌어 주겠지요?"

아라곤 왕은 상자들을 둘러본 뒤 거기에 새긴 글귀까지 차근차근 읽어 보았다.

우선 납궤에 새긴 글귀를 읽더니 아라곤 왕은 코웃음을 쳤다. 모든 재산을 내놓고 운명을 걸기에는 납이 너무 볼품없다고 생각한 것이다. 곧이어 은궤에 새긴 글귀를 읽고는 마음이 조금 움직였다. 그래서 은궤에 대해서는 좀 더 생각해 보기로 했다.

아라곤 왕의 시선은 금궤로 옮겨 갔다. 만인이 소원하는 것을 얻게 된다는 글귀를 본 아라곤 왕은 '만인' 이라는 단어를 곰곰 생각해 보았다. '만인'은 모든 사람을 뜻하는데, 그런 어중이떠중이와 자신을 같이 취급할 수는 없었다. 자기는 왕의 신분이므로 모든 사람이 원하는 것과 자기가 원하는 것은 차원이 달라야 했다. 아라곤 왕은 금궤 역시 정답이 아니라고 판단했다.

아라곤 왕은 은궤에 새긴 글귀를 다시 읽어 보았다.

나를 고르는 자는 신분에 어울리는 것을 얻으리라.

'역시 이 문장이 가장 내 마음에 드는군. 그렇지, 정말 좋은 말이야. 자기 신분에 어울리지도 않는 요행을 바라는 몹쓸 것들이 세상에는 정말 많거든. 하지만 나는 다르지. 나야말로 포샤 양을 얻을 자격이 충분해. 신분으로 보나, 풍채風采로 보나, 열정으로 보나 무척 잘 어울리지. 아름답고 기품 있는 포샤 양도 나의 사랑을 얻을 자격이 충

풍채(風采) : 드러나 보이는 사람의 겉모양.

분해. 아무래도 은궤가 올바른 답인 것
같군.'

히히, 아라곤 왕이
자신의 본 모습이
어떤지 알았겠지?

아라곤 왕은 포샤에게서 열쇠를 받아
자신 있게 뚜껑을 열었다. 그러나 은궤 속
에는 뜻밖의 물건이 들어 있었다. 뚜껑
을 열자마자 어릿광대 형상을 한 인형
이 사람을 놀리듯이 튀어나왔다.

"어쩜 이렇게 바보 같은 것이…….
내 가치가 겨우 이런 바보의 머리통만 하
다는 것인가."

"원래 죄를 저지른 쪽과 죄인을 재판하는 쪽은 입장이
다른 법이지요. 자, 쪽지를 읽어 보시죠."

포샤가 차분하게 권했다.

아라곤 왕은 수치심羞恥心을 참기 위해 입술을 깨물고는
어릿광대 인형이 내민 쪽지를 펴 보았다.

수치심(羞恥心) : 부끄러움을 느끼는 마음.

일곱 번 불에 달군 은궤처럼

그대의 판단 또한 일곱 번 단련되었더라면

틀림없는 선택을 했을 것을.

그대,

그림자에 입을 맞추고

그림자 같은 행복만을 얻는 자여.

나는 영원히 그대의 머리가 되리라.

어서 떠나자,

이곳은 우리가 머물 곳이 아니다.

아라곤 왕은 분노로 얼굴이 달아올랐다. 그러나 이미 맹세를 한 이상 어쩔 수 없었다. 이 자리에서 망설일수록 바보 취급을 당할 게 뻔했다.

"안녕히 계시오, 포샤 양. 내 그대의 행복을 빌어 드리리다."

아라곤 왕은 쿵쿵 발소리를 내면서 떠났다.

포샤는 홀가분하다는 표정으로 미소를 지으며 네리사의

과연 포샤는
운명의 남자를 만나
결혼할 수 있을까?

얼굴을 보았다.

"아라곤 왕은 청혼하러 왔다 어리석은 머리통 하나를 더 얻어 떠나는구나. 호호호, 너무 꾀를 부리는 바람에 그리된 거야."

"아가씨, 옛말에 사형과 결혼은 운명이라고 했잖아요. 저분은 불나방이 촛불에 뛰어들듯 자기 것이 아닌 운명을 탐내서 실패했나 봐요."

"맞는 말이다. 자, 가자꾸나."

며칠 뒤 포샤는 방 안에서 네리사와 함께 모처럼 한가한 시간을 보냈다. 그때 남자 하인이 허둥지둥 안으로 들어왔다.

"무슨 일이지?"

"아가씨, 젊고 잘생긴 베니스 신사께서 아가씨를 뵙기를 청합니다요. 그런데 선물을 산더미처럼 많이 가져왔지 뭡니까요. 어떡하죠, 맞아들일까요?"

포샤는 베니스에서 젊은 신사가 왔다는 하인의 말을 전

해 듣자마자 가슴이 쿵쾅거렸다. 전에 만난 적이 있는 바사니오의 모습이 눈앞에 어른거렸다. 포샤는 애써 마음을 가라앉혔다.

"그래, 이번에는 또 어떤 사람이 왔는지 궁금하구나. 네리사, 네가 가서 그분을 정중히 안으로 모셔 오너라. 큐피드의 사자(使者)를 만나 봐야겠구나."

"네, 아가씨."

네리사는 서둘러 걸음을 옮기다가 그 자리에 멈춰 섰다. 그러고는 뒤로 돌아서더니 포샤를 향해 장난스럽게 외쳤다.

"사랑의 신께서 보내 주신 그분이 부디 바사니오 님이시기를!"

그리스 신화의 에로스에 해당하는 큐피드는 로마 신화에 나오는 사랑의 신이란다.

사자(使者) : 명령이나 부탁을 받고 심부름하는 사람.

5장
안토니오, 파산하다

절친한 친구 사이인 살레리오와 솔레니오는 베니스의 한적한 골목길을 산책했다. 지금 그들의 마음은 지옥과 같았다. 제시카가 로렌조와 도망친 뒤로는 하루하루가 살얼음판을 딛는 기분이었다. 샤일록의 펄펄 끓는 분노가 행방을 감춘 딸과 로렌조 대신 이들 두 사람과 안토니오에게 쏟아졌기 때문이다.

샤일록은 딸이 로렌조와 함께 도망친 것을 안 뒤로는 제정신이 아니었다. 미친 사람처럼 고래고래 소리를 지르며 주위 사람들을 괴롭혔다. 제시카가 돈과 보석까지 훔쳐 가는 바람에 샤일록의 분노는 더욱 컸다.

"내 돈! 내 보석! 맙소사, 내 딸이 기독교도와 눈이 맞아 달아나다니! 재판을 해야 해! 내 돈을 찾아야 해! 내 돈! 내 보석!"

"그렇게 하는 게 아니야. 좀 더 눈을 부릅뜨고 이를 악물어야 해. 그리고 가끔 허공에 발길질도 해 주고 말이야. 잘 봐. 내 돈! 오, 내 딸!"

동네 꼬마 녀석들이 깔깔거리면서 살레리오와 솔레니오 곁을 지나갔다. 다들 샤일록 흉내를 내는 데 흠뻑 빠져 있었다. 요 며칠 동안 샤일록이 어찌나 악을 쓰고 돌아다녔는지 베니스에 사는 사람이라면 개구쟁이들까지 그 사연을 다 꿰고 있을 정도였다.

그뿐만이 아니었다. 샤일록은 베니스의 공작을 찾아가 도망간 자기 딸과 로렌조가 틀림없이 바사니오의 배에 함께 탔을 거라고 고발했다. 공작은 아닌 밤중에 홍두깨 식으로 잠자리에서 사건을 보고 받고는 무척 난감^{難堪}해

난감(難堪) : 이렇게 하기도 저렇게 하기도 어려워 처지가 매우 딱함.

했다. 그래도 샤일록의 등쌀에 못 이겨 벨몬트로 떠나는 바사니오의 배를 수색搜索하려 했으나 배는 이미 떠난 뒤였다.

"그래도 바사니오의 배가 아무 탈 없이 출항해서 다행이야. 그레시아노도 같이 갔으니 더 안심이 되는군. 하지만 로렌조와 제시카는 바사니오의 배에 타지 않은 게 확실해. 그렇지 않은가, 솔레니오?"

이탈리아 베니스의 명물인 작은 배를 곤돌라라고 한단다. 물의 도시 베니스의 교통 수단이야.

샤일록 흉내를 내면서 저 멀리 사라지는 아이들의 뒷모습을 지켜보면서 살레리오가 말했다.

"물론 타지 않은 게 확실하지. 샤일록이 하도 믿지 않으니까 안토니오까지 나서서 증언을 했다더군. 며칠 전에 공작님도 보고를 받으신 모양이야. 로렌조와 제시카가 곤돌

수색(搜索) : 구석구석 뒤지어 찾음.

라 타는 걸 직접 본 사람이 증언을 했대. 그나저나 유대인 고리대금업자 샤일록에게 지독한 욕을 먹으니 울화가 치미는군."

솔레니오는 아직까지 화를 가라앉히지 못한 듯 얼굴까지 붉히면서 덧붙였다.

"무엇보다 안토니오에게 무슨 일이 생기면 안 될 텐데……. 무슨 일이 있어도 계약서에 약속한 날짜는 반드시 지켜야 하거든. 그렇지 않으면 샤일록이 분명 계약서대로 하겠다고 고집을 부릴 걸세."

"그건 그렇고 말이야. 솔레니오, 자네 혹시 아무 얘기도 못 들었나? 어제 우연히 프랑스에서 온 무역상과 만나 이야기할 기회가 있었거든. 그런데 그 사람 말에 따르면 말일세, 프랑스와 영국 사이의 해협海峽에서 우리나라 배 한 척이 난파를 당했다더군. 그 얘기를 듣자마자 안토니오의 얼굴이 제일 먼저 떠오르지 뭔가. 솔레니오, 설마 안

해협(海峽) : 육지와 육지 사이에 있는 좁고 긴 바다.

토니오의 배가 난파를 당한 건 아니겠지? 아닐 거야, 그렇지?"

살레리오의 말을 듣자 솔레니오도 문득 불길(不吉)한 느낌이 들었다.

"그렇고말고, 안토니오의 배는 아니겠지. 그런데 살레리오! 아무래도 안토니오를 찾아가 이야기해 주는 게 낫지 않겠나?"

"하지만 섣불리 우리가 나서서 말했다가 착한 사람한테 괜한 걱정이나 끼칠까 봐 그렇지. 아무리 생각해도 안토니오처럼 좋은 친구도 없더군. 벨몬트로 떠나던 날 바사니오가 배에 오르면서 되도록 빨리 돌아오겠다고 하니까 안토니오는 아무 걱정하지 말고 사랑하는 아가씨의 마음을 얻을 수 있는 방법만 생각하라고 말했다네. 정말 따뜻한 우정 아닌가."

살레리오는 두 친구가 악수를 하고 헤어질 때 안토니오

불길(不吉) : 운수 따위가 좋지 아니함. 또는 일이 예사롭지 아니함.

의 눈에 눈물이 고이던 것을 떠올렸다. 그러자 안토니오
가 더욱 걱정되었다.

"지금 안토니오가 많이 외로울 것 같군. 솔레니오, 우
리가 가서 그 친구의 울적鬱寂한 기분을 위로해 주는 것이
좋겠네."

안토니오의 집 쪽으로 걸음을 옮기는 두 사람의 발걸음
이 천근만근 무겁게 느껴졌다.

시간은 쏜살같이 흘렀다. 안토니오가 샤일록에게 돈을
갚기로 한 석 달의 기한이 점점 가까워 왔다. 바사니오에
게서는 아직 아무런 소식도 없었다.

흉흉한 소문이 베니스 시내에 돌고 있었다. 안토니오의
무역선 한 척이 풍랑風浪을 견디다 못해 바다에 가라앉았
다는 것이었다. 살레리오와 솔레니오의 귀에도 그 소문이

울적(鬱寂) : 마음이 답답하고 쓸쓸함.
풍랑(風浪) : 바람과 물결을 아울러 이름.

들려왔다.

"솔레니오, 자네도 소문 들었나? 제발 헛소문이었으면
좋겠네."

"나도 그러길 바라네. 하지만 이 소문은 거의 확실한
것 같아. 정말 안됐네. 인품도 훌륭하고 사람
좋은 안토니오의 무역선이 가라앉았다니.
제발 그의 손실이 배 한 척으로 그치기를
바라야지."

"그렇지. 그 정도에서 끝난다면 안토니오
에게 치명타致命打는 아닐 테니까. 앗, 저기
샤일록이 오는군. 악마처럼 무시무시한
표정을 짓고 있네."

샤일록은 아직
안토니오에 관한 소문을
듣지 못했나 봐.

샤일록은 얼굴을 잔뜩 찌푸린 채 성난 사람
처럼 씩씩대며 걸어왔다. 샤일록은 두 사람을 보자 쥐어
뜯을 듯이 달려들어서 악을 썼다.

치명타(致命打) : 생사나 흥망에 관계될 만큼 치명적인 타격.

"당신들이 그 도적놈 같은 로렌조와 내 딸이 달아나는 것을 도왔지? 그렇지?"

"그리 큰 도움을 준 건 아니지만 미리 알았던 건 사실입니다."

살레리오가 침착하게 대답했다.

"새끼들은 언젠가 때가 되면 어미 새의 품을 떠나는 게 세상의 이치 아닙니까? 자자, 마음을 가라앉히고 좋은 쪽으로 생각하십시오."

솔레니오가 샤일록을 진정시켰다.

"그 망할 것!"

샤일록은 어금니를 앙다물었다.

솔레니오가 재빨리 화제를 돌렸다. 샤일록의 속내를 떠보고 싶었던 것이다.

"그런데 샤일록 님, 혹시 무슨 소문 못 들으셨나요? 안토니오의 무역선이 침몰해 손해를 보게 되었다든가 하는 소문 말입니다."

샤일록이 증오로 번뜩이는 눈을 치켜떴다.

"허울만 좋은 비렁뱅이들이 내게 손해를 끼치려는 모양이군. 안토니오 녀석, 기세등등_{氣勢騰騰}해서 잘난 척하더니 꼴좋게 되었구나. 홍, 계약서의 날짜는 잊지 않았겠지? 녀석이 나와 우리 유대 민족을 비웃던 걸 생각하면 내가 자다가도 이가 갈린다니까. 두고 보라지, 내 반드시 복수하고 말 테니……."

샤일록의 말을 듣고 살레리오와 솔레니오는 소름이 오싹 끼쳤다. 그때 안토니오의 하인이 빨리 집으로 오라는 전갈을 가져왔다. 샤일록에게서 달아날 구실만을 찾던 두 사람은 얼른 일어나 그 자리에서 빠져나왔다.

샤일록은 두 사람의 뒷모습을 바라보며 회심의 미소를 지었다. 비뚤어진 미소일망정 오랜만에 지어 보는 것이었다.

유대교의 율법서 〈탈무드〉에도 '웃는 얼굴은 재산 목록 1호다.'라는 말이 있는데 샤일록은 〈탈무드〉도 읽지 않는가 보군.

기세등등(氣勢騰騰) : 기세가 매우 높고 힘참.

그러잖아도 샤일록은 마음이 잔뜩 뒤틀려 있었다. 딸 제시카가 제노바에서 엄청난 돈을 쓰고 돌아다닌다는 소문을 전해 들었기 때문이다. 생각할수록 딸이 괘씸해서 견딜 수가 없었다. 제시카가 훔쳐 간 금화가 가득 든 자루, 그리고 수많은 보석들……. 다이아몬드 하나만 해도 족히 2천 두카토는 넘는 것들이었다. 그동안 딸을 찾느라 들인 돈도 아까웠다. 딸은 감히 아버지에게 이중의 손해를 끼친 것이다.

최근 들어 불행이란 불행은 온통 자기에게 몰려오는 듯했다. 하나뿐인 딸도 잃고 목숨 같은 재산도 잃어 샤일록은 제정신이 아니었다. 샤일록은 같은 고리대금업자 앞에서 푸념을 늘어놓았다.

"이걸 어디에 분풀이한단 말인가? 눈물이란 눈물은 다 내 눈에서 쏟아지는구먼."

"이보게, 샤일록. 자네 말고 울어야 할 사람이 또 있네. 내가 얼마 전에 들은 얘긴데, 안토니오가 파산할 것 같다더군."

동료_{同僚}의 말에 샤일록은 귀가 번쩍 뜨였다.

"그게 정말인가?"

"그렇다네. 제노바 앞바다에서 안토니오의 무역선이 침몰했다는 소문을 들었지. 그리고 베니스로 돌아오는 길에 안토니오의 사업과 관련 있는 몇 사람을 만나서 똑같은 얘기를 또 들었네. 그러니 확실한 정보라고 봐야겠지. 안토니오가 이번 사업에 전 재산을 모두 투자했다면서? 안토니오는 이번에 완전히 파산할 거라더군."

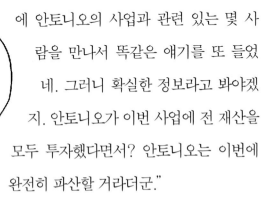

제노바는 이탈리아 북서부 리구리아 해에 면해 있는 항구 도시야. 중세에는 동방 무역의 중계지로 무척 번성했던 도시였대.

"이제야 그동안 막혔던 속이 뻥 뚫리는 것 같군. 정말 기쁜 소식이야!"

"그것 말고 또 들은 소식이 있네. 제노바에서 자네 딸이 원숭이 한 마리와 터키옥 반지를 바꿨다고 하더군."

동료(同僚) : 같은 직장이나 같은 부문에서 함께 일하는 사람.

"으으, 망할 것! 내 이대로 가만있을 수 없지."

샤일록은 평소 친하게 지내던 동료에게 관리 한 명을 매수買收해 놓으라고 부탁했다. 아직 계약서의 기한이 남아 있긴 했지만 안토니오가 1초라도 약속 시간을 어기면 계약서에 쓴 대로 곧바로 집행執行할 수 있도록 미리미리 준비해 두어야 했기 때문이다.

"두고 보라고, 내가 녀석의 심장을 도려내고 말 테니까. 안토니오란 녀석만 베니스에서 없어지면 우리도 마음 놓고 고리대금업을 할 수 있지. 자, 어서 가게나. 나중에 유대 교회에서 또 보세."

샤일록은 마음속으로 복수의 칼날을 시퍼렇게 갈았다.

매수(買收) : 금품 따위로 남을 꾀어서 자기 편으로 만듦.
집행(執行) : 법률, 명령, 재판, 처분 따위의 내용을 실행함.

6장
행복한 결혼, 불행한 소식

그 무렵 바사니오는 포샤의 집에서 행복한 나날을 보내고 있었다. 다시 만난 바사니오와 포샤는 서로의 마음을 확인한 뒤 깊은 사랑에 빠져 들었다.

바사니오를 사모하는 마음이 커질수록 포샤는 점점 더 불안해졌다. 물론 아버지의 유언을 어길 수는 없었다. 그러나 사랑하는 바사니오가 모로코 왕이나 아라곤 왕처럼 잘못된 상자를 고를 것을 생각하면 눈앞이 캄캄했다. 그래서 포샤는 바사니오의 자격시험을 하루하루 미루는 중이었다.

포샤에게서 아무 말이 없자 바사니오가 먼저 시험을 치

르겠다고 자청自請했다. 마냥 미룰 수만도 없었기 때문이다. 그러자 포샤가 당황해서 바사니오를 말렸다.

"제발 서두르지 마세요. 며칠 더 쉬다가 우리의 운명을 시험하기로 해요. 만약 상자를 잘못 고르면 그날로 우리는 헤어져야 하잖아요. 내 마음 같아서는 며칠이 아니라 한두 달 뒤로 미루고 싶지만⋯⋯."

"포샤, 나도 당신과 오래오래 행복한 시간을 보내고 싶소. 그러나 마치 사형대에 서 있는 심정이오. 어서 빨리 시험을 치르고 당신을 아내로 맞이하고 싶소."

바사니오의 말에 포샤도 속마음을 고백했다.

"아아, 아무래도 나는 당신에게 눈이 먼 것 같아요. 지금 심정으로는 내 입으로 정답을 알려 드리고 싶군요. 아버지의 유언이 이토록 원망스러운 적은 없었어요. 내 마음은 이미 당신 것인데, 이토록 불확실한 시험이 우리를 방해하고 있군요."

자청(自請) : 어떤 일에 나서기를 스스로 청함.

포샤는 한동안 생각에 잠겼다가 다시 입을 열었다.

"그래요, 내가 너무 시간을 끌었어요. 당신이 시험대에 서는 순간을 조금이라도 미루고 싶었거든요. 하지만 당신 말이 맞아요. 언제까지나 중요한 결정을 미뤄 둘 수는 없지요. 바사니오, 당신의 운명을 시험해 보세요."

포샤는 세 개의 상자 앞으로 사랑하는 남자를 데려갔다. 바사니오는 불안해 하는 포샤를 위로하듯이 밝은 표정을 지었다.

"사랑하오. 이건 시험을 치르기 전에 미리 고백하는 거요. 그리고 나를 믿어요. 내 운명을, 아니 함께하도록 만들어진 우리의 운명을 믿어 봅시다."

포샤는 아무 말 없이 고개를 끄덕였다. 그리고 하인들에게 명령했다.

"이분이 상자를 고르실 동안 음악을 연주하도록 해라. 그래야 성공했을 때 축하할 수 있지 않겠느냐."

이윽고 잔잔한 음악이 울려 퍼졌다. 바사니오는 세 개의 상자 앞으로 다가갔다. 그러고는 크게 숨을 들이쉬고

상자들을 찬찬히 살펴보았다. 음악에 맞추어 심장이 뛰놀기 시작했다.

사랑은 어디에서 자라나.

가슴속 깊은 곳인가, 머릿속인가.

어떻게 태어나나, 무얼 먹고 자라나.

누가 대답해 다오.

사랑이 자라는 곳은 사람의 눈이라네.

그렇지만 금방 죽어 버리는 것.

누워 있는 요람 속에서

이제 누가 사랑의 조종弔鐘을 쳐 다오.

금궤 앞에 선 바사니오는 깊은 생각에 잠겼다. 이 세상의 이치처럼 금궤의 겉과 속이 다를 수도 있을 것 같았다. 아무리 더러운 악행도 그럴듯한 말로 잘 포장하면 선행으

조종(弔鐘) : 일의 맨 마지막을 고하는 증표나 신호를 비유적으로 이르는 말.

로 둔갑하지 않던가. 형편없는 겁쟁이가 헤라클레스처럼
수염을 기르고 용감한 병사인 척하듯이. 그렇게 볼 때 금
이라는 것은 겉치레에 불과했다. 따라서 금궤는 정답이
아니었다.

이번에는 은궤 앞에 섰다. 바사니오의
직관적直觀的 판단은 지금까지 단 한 번도
틀린 적이 없었다. 창백하게 빛나는 은에서
는 지나치게 가볍고 얄팍한 느낌이 났다.

마지막으로 납궤 앞에서 걸음을 멈추었
다. 바사니오는 보잘것없는 납에서 솔직
함을 느꼈다. 납은 투박하지만 있는 그대
로의 자신을 드러냈다. 납궤가 바사니오의
마음을 움직여 결국 그것을 선택하기로 마음먹었다.

"나는 납궤로 결정했소. 납의 솔직함이 내 마음을 움직

> 헤라클레스 눈
> 그리스 신화에서 가장
> 힘이 세고 또 가장
> 유명한 영웅이야.

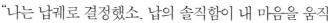

직관적(直觀的) : 판단이나 추리 따위의 사유 작용을 거치지 아니하고 대상을 직접
적으로 파악하는 작용.

이는군요."

포샤가 바사니오에게 납궤의 열쇠를 내밀었다. 포샤의 입가에 행복의 미소가 번졌지만 운명의 순간과 마주한 바사니오는 납궤만을 뚫어지게 바라보느라 미처 알아채지 못했다. 바사니오는 열쇠 구멍에 열쇠를 꽂고 심호흡을 했다.

마침내 납궤의 뚜껑이 열렸다.

"오오!"

주위에 몰려 있던 하인들 입에서 탄성이 터져 나왔다.

상자 속에서 포샤의 초상화가 나온 것이다!

포샤는 기쁨으로 숨이 멎을 것 같았다. 올바른 선택을 해 준 바사니오가 고마워 아무도 없었다면 가슴에 안겨 울고 싶을 정도였다.

바사니오는 얼이 빠진 듯 초상화에서 눈을 뗄 줄 몰랐다. 초상화 속 포샤의 아름다움에 푹 빠져 바로 옆에 포샤가 있는 것도 잊은 듯했다.

"어쩌면 이렇게 아름다울 수 있을까? 마치 그림이 살

아 움직이는 것 같구나. 반짝이는 눈, 향기로운 입술, 섬세한 머리카락……."

바사니오는 초상화 속의 포샤를 손가락으로 하나하나 짚어 보았다. 납궤 속에는 초상화 말고 얌전하게 접은 쪽지도 함께 있었다. 바사니오는 쪽지를 펴 들고 소리 내어 읽었다.

눈으로만 판단하지 않는 사람은
올바른 선택을 하고 행복을 얻네.
이제 네 것이 되었으니
행복을 잡으라, 새것을 찾지 마라.
하늘이 주신 기회를
기뻐하고 감사하라.
저 여인에게
사랑을 맹세하고 청혼하라.

"와!"

하인들의 입에서 다시 한 번 감탄사가 새어 나왔다.

바사니오는 활짝 웃으며 포샤 쪽으로 다가갔다.

"포샤, 아주 좋은 글이오. 하지만 아직은 얼떨떨하군. 쪽지의 내용이 나를 위한 것인지 당신이 한 번 더 확인해 주시오."

"바사니오, 나는 지금까지 그런대로 나 자신에게 만족하며 살아왔어요. 그런데 당신을 만난 뒤로는 지금의 나보다 더 좋은 사람이 되고 싶어요. 당신을 위해서라면 지금보다 60배나 더 훌륭한 사람이, 1천 배나 더 예쁜 여자가, 1만 배나 더 지혜로운 친구가 되고 싶어요. 나는 앞으로 당신의 것이에요. 내가 가진 모든 것도 이제 당신의 것이랍니다. 자, 이 반지를 받으세요. 이것은 우리 사랑의 정표_{情表}예요. 만약 이것을 손에서 빼거나 잃어버

겉모습만으로 판단하지 않는 바사니오가 성공할 줄 알았어.

정표(情表) : 간절한 정을 드러내 보이기 위하여 물품을 줌. 또는 그 물품.

리거나 다른 사람에게 주신다면 우리의 사랑이 깨진 걸로 알겠어요."

포샤는 반지를 꺼내 바사니오의 손가락에 끼워 주었다.

"포샤, 감격스러워서 어찌할 바를 모르겠소. 내 약속하리다. 이 목숨이 다하는 날까지 반지를 소중히 간직하겠소. 내 손가락에서 반지가 사라지는 날, 그날이 나의 장례식일 거요."

바사니오와 포샤는 두 손을 마주 잡은 채 그윽한 눈빛으로 서로를 바라보았다. 두 사람의 눈 속에 사랑이 넘쳐 흘렀다.

"축하합니다, 아가씨! 축하합니다, 바사니오 님!"

네리사는 두 사람의 결합을 진심으로 기뻐해 주었다.

"진심으로 축하하네, 바사니오. 축하해요, 포샤 양."

쾌활한 그레시아노 역시 축하 인사를 건넸다. 그러고는 잠시 뒤 엉뚱한 말을 꺼냈다.

"바사니오, 한 가지 청이 있네. 자네가 결혼식을 올릴 때 나도 결혼식을 하면 어떻겠나?"

"그거야 좋은 생각이지만 결혼할 상대나 만들어 두고 하는 말인가?"

바사니오의 물음에 그레시아노는 눈을 찡긋하면서 옆에 서 있는 네리사를 가리켰다. 바사니오와 포샤는 두 눈을 크게 뜨고 믿을 수 없다는 표정을 지었다.

"이게 다 두 사람 덕분이네. 바사니오, 자네가 포샤 양을 바라보는 동안 나는 네리사를 보고 있었다네. 날쌔기로는 내 눈도 자네 못지않지. 입천장이 마르도록 사랑을 맹세하고 간신히 약속을 받아 냈다네. 하지만 네리사가 한 가지 조건을 내걸더군. 자네가 올바른 상자를 골라야 한다는 것이었지. 다행히 자네가 상자를 잘 골라 주어 정말 고맙네, 바사니오."

"놀랍구나. 네리사, 그레시아노 님의 말이 사실이니?

포샤가 묻자 늘 명랑하던 네리사도 부끄러운지 살짝 얼굴을 붉혔다.

"네, 아가씨께서 허락해 주신다면……."

"물론이지! 이렇게 기쁜 일이 또 어디 있겠니?"

"축하하네, 그레시아노. 그런데 물론 진심이겠지?"

바사니오는 진지한 표정으로 그레시아노에게 물었다. 평소에 짓궂은 장난을 좋아하고 허풍선이처럼 속없는 말이나 늘어놓는 그레시아노의 마음을 믿을 수 없었기 때문이다.

"바사니오, 나를 못 믿겠다는 건가? 거참, 답답하네. 배를 갈라 내 속을 보여 줄 수도 없고 말이야. 아무튼 난 진심이네. 제발 믿어 주게."

그제야 바사니오도 고개를 끄덕였다. 그러자 그레시아노의 표정이 환해지더니 금세 허풍(虛風)을 떨었다.

"바사니오, 누가 먼저 첫아들을 낳을지 1천 두카토를 걸고 내기해 볼까?"

순간 바사니오의 눈빛이 살짝 흔들렸다. 그레시아노의 농담이 너무 가벼워 보였던 것이다.

"하하하, 농담이네."

허풍(虛風) : 실제보다 지나치게 과장하여 믿음성이 없는 말이나 행동.

그레시아노와 사람들은 들뜬 마음으로 축제 분위기를 즐겼다.

그때 세 사람이 들어서는 바람에 즐거운 축제는 막을 내려야만 했다. 불쑥 나타난 살레리오, 로렌조, 제시카를 제일 먼저 알아본 사람은 그레시아노였다.

"아니, 도대체 이게 누구야? 살레리오와 로렌조, 제시카 양까지?"

바사니오는 친구들이 자기를 축하해 주러 온 것으로 생각했다. 그래서 이 집 주인이 된 지 얼마 되지 않았지만 세 사람을 진심으로 환영해 주었다.

"포샤, 인사해요. 나의 고향 친구들이 찾아왔소."

"네, 잘 오셨어요."

살레리오는 자기가 이곳에 온 이유를 말했다. 그는 안토니오의 편지를 전하러 온 것이었다. 베니스에서 이곳으로 오는 길에 로렌조와 제시카를 우연히 만나 같이 오게 되었다고 했다.

바사니오는 서둘러 편지를 펼쳐 보았다. 편지를 읽어

내려가는 바사니오의 얼굴이 점점 흙빛으로 변해 갔다.

그리운 바사니오!

나의 전 재산으로 사들인 무역선 세 척이 모조리 가라
앉았다는 소식을 들었네. 나는 파산했네.

샤일록과의 계약서에 서명을 했으니 도저
히 살아남을 수 없을 것 같아. 더 이상 방법
도 없네. 마지막으로 꼭 한 번 자네의 얼굴
을 보고 싶군.

바사니오 때문에
목숨을 잃게 생겼는데
조금도 원망하지 않는군.

사정이 있다면 무리해서 올 필요는 없네.
자네에게 부담을 주고 싶지는 않거든.

안토니오

편지를 다 읽은 바사니오는 심각한 고민에 빠졌다.

"이런 일이 생기다니! 포샤, 당신에게 고백할 것이 있
소. 내가 무일푼이라고 말했지만 사실 지금은 무일푼보다
더 못한 처지요. 내게는 3천 두카토의 빚이 있소. 그 빚은

나의 가장 소중한 친구가 흉악한 유대 인에게 자기 목숨을 담보擔保로 얻어 준 거요. 그 때문에 지금 내 친구는 목숨이 위태로운 상황이오."

바사니오는 편지를 전하러 온 살레리오 쪽으로 눈길을 돌려 다시 한 번 확인했다.

"아, 정말 안토니오가 파산했단 말인가? 살레리오, 말해 보게. 안토니오의 배들은 트리폴리, 인도, 멕시코에서 모조리 가라앉았나?"

"그렇다네, 바사니오. 게다가 그 흉악한 샤일록은 안토니오가 돈을 갚으려 해도 받지 않을 작정을 하고 있다네. 계약서를 움켜쥐고 정정당당하게 재판하겠다고 떠들어 대고 있거든. 공작님이 설득해도 꿈쩍도 하지 않는다고 하더군."

살레리오의 말에 제시카도 고개를 끄덕였다.

담보(擔保) : 빚진 사람이 빚을 갚지 못할 경우, 돈을 빌려 준 사람이 마음대로 해도 좋다는 약속으로 맡기는 물건 따위.

"집에 있을 때 아버지가 말씀하시는 걸 들은 적이 있어요. 빚진 돈의 몇 배를 가져와도 기어코 안토니오의 가슴살을 베어 갖겠다고 하셨죠. 아버지는 제가 잘 알아요. 무슨 수를 쓰지 않으면 매우 불행한 일이 일어나고 말 거예요. 어떡하죠?"

제시카의 말마따나 샤일록은 충분히 그리고도 남을 인간이야. 안토니오의 앞날이 걱정되는걸.

포샤는 누구보다 침착하게 상황을 정리해 갔다.

"바사니오, 당신 친구 분의 머리카락 하나라도 다치게 해서는 절대 안 되지요. 빌린 돈의 몇 배를 물어 주더라도 계약서를 무효無效로 만들어야 해요. 돈이 얼마가 들더라도 제가 마련해 드릴 테니 아무 걱정 마세요. 아, 그러려면 당신이 출발하기 전에 결혼식을 먼저 해야겠군요. 우리가 결혼하면 당신에게도 내 재산에 대한 정당한 권리가 생길 테니까요. 결혼식만 올린 뒤 곧바로

무효(無效) : 법률 행위가 어떤 원인으로 당사자가 의도한 효력을 나타내지 못함.

베니스로 떠나세요. 전 여기서 당신만을 기다릴게요."

"우정을 지킬 수 있게 해 줘 정말 고맙소, 포샤. 그럼 서두릅시다."

모인 사람은 포샤의 빠른 판단과 너그러운 마음에 감탄했다. 바사니오는 간소한 결혼식을 올리자마자 곧바로 베니스를 향해 떠났다.

포샤는 로렌조와 제시카에게 당분간 벨몬트의 저택을 좀 맡아 달라고 부탁했다. 남편이 무사히 일을 해결하고 돌아올 때까지 수도원에서 기도하며 생활하고 싶다는 것이었다. 로렌조와 제시카는 둘만의 오붓한 시간을 갖게 된 것이 신이 나서 흔쾌히 그러겠다고 말했다.

포샤는 하녀 네리사에게 준비를 하라고 일렀다. 그리고 출발하기 전에 하인을 시켜 사촌 오빠 벨라리오 박사에게 편지를 보냈다.

"최대한 빨리 편지를 전해 드리도록 해라. 오라버니가 편지를 읽고 나면 판결할 내용이 담긴 서류와 의복을 주실 거다. 그걸 받아서 베니스로 건너가는 나루터로 서둘

러 와야 한다."

네리사는 포샤가 무슨 일을 하려는지 궁금했다. 사실 포샤에게는 따로 계획이 있었다. 소중한 남편의 친구 안토니오를 남몰래 돕기로 마음먹은 것이다.

"네리사, 우리 남장(男裝)을 하고서 남편들을 만나러 가자. 젊은 남자 복장을 하면 너보다 내가 더 미남으로 보일걸. 젊은 부인들이 나한테 반해서 사랑을 고백해 오면 어쩌지?"

"네? 아가씨와 제가 남자 노릇을 한다고요?"

"쉿! 네리사, 이건 비밀이야. 누가 들으면 절대 안 된단 말이야."

포샤는 네리사만을 데리고 집을 나섰다. 베니스까지의 머나먼 길이 그들을 기다리고 있었다.

남장(男裝) : 여자가 남자처럼 차림.

7장
베니스의 명재판관

빌린 돈을 제 날짜에 갚지 못한 안토니오는 감옥에 갇혔다. 공작의 설득에도 불구하고 샤일록은 계약서에 써 있는 대로 해 달라며 고집을 꺾지 않았다. 머지않아 판결 날짜가 잡혔다.

드디어 재판이 열렸다. 베니스의 많은 시민이 재판정裁判廷에 모여들었다. 살레리오, 솔레니오 그리고 벨몬트에서 달려온 바사니오와 그레시아노 역시 재판에 참석했다. 재판정의 분위기는 착 가라앉아 있었다. 붉은 옷을 입은

재판정(裁判廷) : 법원이 소송 절차에 따라 송사를 심리하고 판결하는 곳.

관리들과 보라색 옷을 입은 공작이 엄숙한 모습으로 들어와 자리에 앉았다.

이윽고 간수가 안토니오를 끌고 재판정으로 들어왔다. 그리고 조금 뒤에 샤일록이 묘한 웃음을 머금고 모습을 드러냈다. 지켜보던 사람들이 수군거렸으나 샤일록은 전혀 신경을 쓰지 않고 공작 앞으로 나와서 냉큼 절을 했다.

"샤일록, 여전히 마음을 바꾸지 않을 텐가? 나는 자네가 기꺼이 마음을 돌려 줄 것이라 기대하네. 저 가엾은 상인을 보게. 전에는 큰 부자였으나 무역선이 난파되는 바람에 전 재산을 잃었어. 이제 남은 건 쇠약한 몸과 언제 끊어질지 모르는 목숨밖에 없다네. 그런데도 가슴살 1파운드를 도려내어 남의 목숨을 빼앗아야 속이 시원하겠는가? 샤일록, 난 그대가 그런 사람이 아니라고 믿네. 여기 모인 사람들도 자네의 너그러운 결정을 기대한다는 걸 명심하게. 어떤가, 생각을 바꿀 텐가?"

공작은 재판에 앞서 마지막으로 샤일록을 설득하려 했다. 그러나 샤일록의 대답은 차디찼다.

"제 생각에는 변함이 없습니다. 계약서대로 위약금을 받겠다는 것은 베니스의 법에 따른 당연한 권리입니다. 이것이 옳지 않다면 베니스의 법은 휴지 조각이나 다름없지요. 공작님은 제가 돈 대신 안토니오의 살 1파운드를 받겠다고 말한 게 이상했나 봅니다. 맞아요, 그러면 제가 손해를 보는 장사니까요. 그런데도 왜 돈을 마다하고 1파운드의 살을 받으려 하냐고요? 그건 제가 안토니오를 증오하기 때문입니다. 이만하면 납득이 되십니까? 더 이상의 설명은 필요 없을 것 같군요."

파운드는 무게의 단위로 1파운드는 약 453.5그램에 해당한단다.

"그렇다고 멀쩡한 사람을 죽이려 한단 말입니까?"

바사니오가 흥분해서 소리쳤다.

"미우면 죽이고 싶은 것이 사람의 마음이 아니겠나?"

샤일록이 코웃음을 치며 대꾸했다.

안토니오가 흥분한 바사니오를 말렸다. 어떤 말로도 샤

일록의 마음을 돌릴 수 없다고 생각한 안토니오는 이미 체념諦念한 상태였다. 하지만 바사니오의 입장에서는 이대로 친구를 죽게 내버려 둘 수는 없었다.

"자, 이 돈을 받고 마음을 돌리세요. 빌린 돈의 두 배인 6천 두카토입니다!"

바사니오는 돈을 꺼내 들고 소리쳤다.

"흥, 그 백 배를 주더라도 받지 않겠네. 나는 법대로 처리할 테니까. 이 나라 법을 허수아비로 만들고 싶지는 않겠지?"

샤일록에게는 아무 소리도 귀에 들어오지 않았다. 안토니오를 향한 복수심만이 타오르고 있었다. 공작이 노여운 목소리로 다그치고 재판정에 모여든 많은 시민들도 비난했으나 딱딱하게 얼어붙은 샤일록의 마음을 움직일 수는 없었다.

"어서 재판을 진행하시오. 제겐 아무 잘못도 없으므로

체념(諦念) : 희망을 버리고 아주 단념함.

어떤 판결도 두렵지 않습니다. 당신들 중에는 노예를 사서 개와 소처럼 부리는 사람들이 있지요. 왜입니까? 네, 자기 돈을 주고 샀기 때문이지요. 만약 제가 당신들에게 '노예를 해방解放하여 당신 딸과 결혼시켜라, 당신이 먹는 것과 똑같은 음식을 주어라.' 하고 말하면 '참견 마라. 노예는 내 것이니 내 마음대로 할 권리가 있다.' 하고 대답할 겁니다. 나도 마찬가지예요. 계약서에 분명히 써 있듯이 안토니오의 살 1파운드는 내 것이라고요. 나는 비싼 대가를 치르고 얻은 내 것을 갖겠다는 겁니다. 자, 베니스의 고귀한 법으로 어서 판결을 내려 주십시오."

샤일록의 말에 다들 입을 다물 수밖에 없었다.

어떤 말로도 샤일록을 설득할 수 없음을 깨달은 공작은 재판을 시작하기로 했다.

"나는 이 사건의 판결을 벨라리오 박사에게 부탁했소. 이제 곧 그분이 오실 거요."

해방(解放) : 구속이나 억압, 부담 따위에서 벗어나게 함.

그때 한 관리가 편지를 들고 재판정으로 들어왔다. 관리는 공작에게 편지를 전했다. 그것은 벨라리오 박사가 공작 앞으로 보내는 편지였다. 벨라리오 박사는 지금 병이 나서 올 수가 없고, 대신 학문과 실력이 뛰어난 법학 박사를 보낼 테니 그 사람이 자기 대신 재판을 진행하도록 허락해 달라는 내용이었다.

편지를 다 읽은 공작이 관리에게 명했다.

"그분을 재판정 안으로 어서 들어오시라 하게."

잠시 뒤 법복을 입은 젊은 법학 박사가 서기를 데리고 재판정으로 들어섰다. 둘 다 여자처럼 곱상하게 생긴 젊은이들이었다. 법학 박사는 품에 안고 온 두꺼운 책을 자리에 내려놓고 공작에게 공손히 절했다.

"그대가 벨라리오 박사께서 추천한 법학 박사이시구려. 이토록 어리실 줄이야. 그러나 벨라리오 박사께서 뛰어난 분이라고 칭찬하셨으니 틀림없겠지. 그대에게 이 사건의 판결을 부탁하겠소."

"알겠습니다. 사건에 대해서는 이미 자세히 조사했으

니 곧바로 재판을 시작하겠습니다."

젊은 재판관의 한마디에 재판정은 조용해졌다. 여성스럽지만 사람들을 집중하게 만드는 목소리였다.

"안토니오와 샤일록은 앞으로 나오라."

두 사람이 젊은 재판관 앞에 섰다. 재판관은 누가 샤일록이고 누가 안토니오인지 확인하고는 곧바로 심문(審問)에 들어갔다.

"샤일록은 들으라. 당신이 제기한 이 소송은 참으로 괴상하기는 하나 법적으로 타당하다. 그러므로 당신을 비난할 수는 없다."

샤일록의 얼굴에 만족스러운 웃음이 번졌다.

"그러면 안토니오에게 묻겠다. 그대는 이 계약의 정당성을 인정하는가?"

"네, 인정합니다."

심문(審問) : 법원이 당사자나 그 밖에 이해관계가 있는 사람에게 서면이나 구두로 개별적으로 진술할 기회를 주는 일.

"샤일록, 들었나? 안토니오가 정당성을 인정하고 있군. 이제 샤일록 그대가 자비심慈悲心을 발휘해야겠네."

"제게 그럴 의무라도 있단 말씀입니까? 저를 설득할 수 있으면 해 보시죠."

자비라는 것은 강요해서 되는 것이 아니지. 자비는 하늘에서 이 대지에 내려주는 단비와 같은 것이라고.

"자비심은 강요해서도 안 되고 의무감으로 행해서는 더더욱 안 되지. 자비야말로 하늘이 인간에게 주신 최고의 축복이니까. 자비는 주는 사람에게도 받는 사람에게도 축복이며, 왕관보다 더 군왕을 군왕답게 만든다. 샤일록, 당신 말대로 우리는 정의를 지켜야 하나 법의 정의에 자비를 더하는 순간 비로소 드높은 가치가 완성되는 것이다. 법의 정의로 볼 때 당신의 주장이 틀린 것은 아니나 법의 정의만으로는 사람을 구원할 수 없다. 그래도 샤일록 당

자비심(慈悲心) : 고통 받는 이를 사랑하고 불쌍히 여기는 마음.

신의 마음이 끝내 변하지 않는다면 이 법정에서 더 이상 강요할 수는 없다. 재판정의 판결은 엄격한 법의 테두리 안에 있으니까."

"제 생각에는 변함이 없습니다. 어서 판결을 내려 주시면 감사하겠습니다."

젊은 재판관의 웅변은 그 자리에 있는 많은 사람을 감동시켰다. 그러나 단 한 사람, 샤일록의 마음만은 꿈쩍도 하지 않았다. 재판은 계속되었다.

"안토니오는 빚을 갚을 능력이 없는가?"

젊은 재판관의 물음에 바사니오가 기다렸다는 듯이 끼어들었다.

"아닙니다. 안토니오의 친구인 제가 빚을 대신 갚겠습니다. 두 배, 아니 열 배도 좋고 제 손과 머리와 심장을 담보로 해도 좋습니다. 이래도 부족하다면 원한 때문이라고밖에 볼 수 없습니다."

바사니오는 감정이 북받쳐 젊은 재판관 앞에 무릎을 꿇고는 덧붙였다.

"제발 부탁입니다. 저 악마 같은 샤일록의 요구에 제재를 가해 주십시오."

그러자 젊은 재판관이 엄격하게 말했다.

"그건 안 될 말씀! 그런 일은 베니스의 법 기강紀綱을 뿌리째 흔들어 놓는 일이기 때문이오."

"옳으신 말씀입니다! 젊으신 분이 명재판관님이십니다!"

샤일록이 신이 나서 소리쳤다.

"샤일록, 당신이 가진 계약서를 보여 주시오."

젊은 재판관은 계약서를 꼼꼼히 검토했다. 바사니오가 애타는 눈빛으로 재판관의 입을 뚫어지게 바라보았다.

마침내 젊은 재판관이 입을 열었다.

"샤일록, 이 금액의 세 배를 받고서 이 사건을 끝낼 생

벌이 강조될수록 인간미나 따뜻함이 들어설 자리는 점점 좁아진다고.

기강(紀綱) : 으뜸이 되는 중요한 규율과 질서.

각은 없나?"

"하늘에 맹세코 없습니다."

"그렇다면 계약서에 따라 당신은 살 1파운드를 안토니오의 몸에서 베어 낼 수 있다. 부위는 가슴이군."

"그렇습니다. 정말 훌륭한 재판관님이십니다!"

샤일록은 과장된 몸짓으로 재판관에게 허리를 숙여 인사했다.

"마지막으로 다시 한 번 묻겠다. 그대는 정말 자비심을 베풀 생각이 없는가? 세 배의 돈을 받고 이 계약서를 찢어 버리는 게 어떤가?"

"싫소이다. 난 내 영혼을 걸고 맹세했습니다. 영혼에 거짓 맹세를 할 수는 없지요."

이때 안토니오가 끼어들더니 간절히 청했다.

"제발 저를 위해서 어서 판결을 내려 주십시오. 부탁합니다."

안토니오는 더 이상 샤일록이 악쓰는 소리를 듣고 싶지 않았던 것이다.

"정 그렇다면 안토니오 당신은 저 사람의 칼을 가슴에 받을 각오를 하라."

재판관이 안토니오에게 말하자 샤일록이 의기양양해서 외쳤다.

"젊으신 분이 어쩌면 저렇게 훌륭하실까!"

"안토니오는 가슴을 내놓으라."

젊은 재판관의 단호한 명령에 안토니오는 애써 덤덤한 표정을 지으며 바사니오에게 고개를 돌렸다. 샤일록은 음흉한 웃음을 흘리며 베어 낸 살의 무게를 달 저울을 품속에서 주섬주섬 꺼냈다.

"아 참, 깜빡했군. 샤일록. 먼저 의사를 불러오게. 비용은 당신 쪽이 내는 것으로 하고. 안토니오가 피를 너무 많이 흘려서 죽으면 큰일이지 않나?"

샤일록은 젊은 재판관의 말을 딱 잘라 거절했다. 계약서에 그런 내용은 없다는 것이었다. 젊은 재판관이 그 정도 자비는 베풀 수 있지 않느냐고 다시 권했지만 아무 소용도 없었다.

"안토니오는 할 말이 없는가?"

"마지막으로 친구와 작별 인사를 할 시간을 주십시오."

젊은 재판관의 허락을 받고 안토니오는 바사니오에게 천천히 다가가 손을 내밀었다. 바사니오의 얼굴은 새파랗게 질려 있었다.

"잘 있게, 바사니오. 너무 슬퍼하지 말게. 자네의 빚을 대신 갚기 위해 죽는 거라면 나는 조금도 슬프지 않다네. 나중에라도 자네 부인에게 내가 얼마나 자네를 사랑했는지 전해 주게."

안토니오와 바사니오의 우정은 정말 눈물겹도록 감동적이야.

"내 아내는 내게 생명같이 소중한 사람일세. 그러나 그런 아내도, 내 생명도, 아니 이 세계도 자네만큼 소중하지는 않네. 모든 것을 잃어도 좋으니 자네 생명만은 구하고 싶네."

바사니오는 안토니오를 끌어안고 눈물을 흘렸다. 옆에서 이 말을 들은 젊은 재판관이 한마디 했다.

"이봐, 당신 부인이 그 말을 들었다면 별로 좋아하지 않을걸."

이번에는 그레시아노가 빨갛게 충혈한 눈을 껌뻑이며 입을 열었다.

"나도 사랑하는 아내가 있지만 지금은 차라리 천국에 가서 저 샤일록의 마음씨가 좋아지기를 빌고 싶은 마음입니다."

그러자 이번에는 젊은 재판관의 서기가 참견을 했다.

"그런 말은 가정불화의 원인이 된다는 걸 모르시오?"

"자자, 더 이상 시간 낭비 말고 빨리 판결을 내려 주십시오."

샤일록이 큰 소리로 재촉했다.

주변을 정리한 젊은 재판관은 판결을 시작했다.

"샤일록은 빌려 간 돈을 제 날짜에 갚지 못한 안토니오의 살 1파운드를 가져갈 권리가 분명히 있다. 이 판결은 베니스의 법에 따른 것이다."

"과연 공정한 판결이십니다!"

샤일록은 칼날이 예리_{銳利}한 칼을 품에서 꺼내 들더니 날이 잘 섰는지 살폈다. 그러고는 손잡이를 단단히 움켜쥐고 안토니오에게로 다가왔다.

"자, 각오해라!"

안토니오는 눈을 감은 채 꼿꼿이 서 있었다. 날카로운 칼끝이 안토니오의 가슴에 막 닿으려는 순간 젊은 재판관이 소리쳤다.

"기다려라! 아직 판결이 끝난 것이 아니다."

샤일록은 먹이를 잡다가 방해 받은 늑대처럼 그 자리에 우뚝 멈춰 섰다. 젊은 재판관이 낭랑한 목소리로 판결을 계속 이어 갔다.

"하지만 계약서에는 살 1파운드라고만 되어 있을 뿐 피에 관한 언급은 단 한마디도 적혀 있지 않다. 자, 안토니오의 몸에서 어서 살을 베어 내라. 다만 안토니오의 몸에서 단 한 방울의 피라도 흐를 경우 샤일록 당신의 전 재

예리(銳利): 끝이 뾰족하거나 날이 선 상태.

산은 베니스의 법에 따라 몰수될 것이다."

젊은 재판관의 말에 샤일록은 꼼짝도 하지 못했다.

"우아, 공정하신 재판관님! 정말 훌륭한 판결이십니다.
샤일록, 들었습니까?'

그레시아노가 신이 나서 환호했다.

젊은 재판관은 샤일록을 향해 말했다.

"샤일록, 당신이 법의 정의를 그토록
좋아하니 당신에게는 특별히 법의 엄격함
을 알려 주지."

"그럼, 아까 말씀하신 대로…… 세 배
의 돈을 받을 테니 안토니오를 푸, 풀어
주시오."

샤일록은 얼마나 당황했는지 말까지 더듬
거렸다.

바사니오가 기다렸다는 듯이 돈을 꺼내 들었으나 젊은
재판관이 얼른 막아섰다.

"잠깐! 계약서에 쓰인 금액 외에는 아무것도 줄 수 없

다. 자, 샤일록은 뭘 하고 있나? 어서 계약서에 쓰인 대로 살을 베도록 하라. 물론 피는 단 한 방울도 흘려선 안 된다. 살도 1파운드보다 많거나 적어선 안 되고. 조금이라도 더 많거나 적게 베어 낸다면 당신을 사형시키고 전 재산을 몰수할 것이다."

"정말 현명하신 재판관님이군! 그렇지 않소, 샤일록?"

그레시아노가 외쳤다.

"그렇다면 원금元金만 받겠습니다."

샤일록이 고개를 숙인 채 중얼거렸다.

"그렇게는 안 된다네. 왜냐하면 그대가 이미 거절했으니까. 자, 계약서대로 해야 하네."

샤일록의 얇은 입술이 파르르 떨렸다. 잠시 뒤 샤일록은 얼굴을 흉하게 일그러뜨리고 욕지거리를 내뱉었다.

"으윽, 정말 분통이 터져서 못 살겠군! 이런 재판은 더이상 필요 없소. 난 그만 돌아가겠소."

원금(元金) : 돈을 꾸거나 빌릴 때에 꾸거나 빌린 이자를 제외한 원래의 액수.

"기다리게, 선량한 베니스 시민 안토니오를 괴롭힌 죄가 한 가지 더 남았으니까. 베니스의 법에 따르면 베니스 시민의 생명을 위협한 죄인에게는 그에 합당한 벌이 있다. 즉 죄인의 전 재산 가운데 절반은 피해자에게, 나머지 절반은 국고에 몰수하도록 되어 있고 죄인의 생명은 공작의 손에 달려 있다. 이 자리에서 샤일록 당신이 안토니오의 생명을 위협했다는 사실은 모두가 아는 일! 따라서 샤일록의 전 재산을 몰수하여 절반은 안토니오에게 주고, 절반은 국고에 넘길 것이며, 샤일록의 목숨은 베니스 공작의 손에 맡기는 바이다."

화려한 역전 드라마가 펼쳐졌어. 샤일록, 법 좋아하니 법대로 해야 하지 않겠어?

젊은 재판관은 두꺼운 책에서 관련 법 조항을 찾아 모두에게 하나하나 세세히 읽어 주었다.

샤일록은 그 자리에 털썩 주저앉았다. 공작이 자리에서 일어나 샤일록에게 말했다.

"자비심이 뭔지 가르쳐 주기 위해서 그대의 생명을 빼앗지는 않겠다. 그리고 진심으로 반성하고 유대교가 아닌 기독교로 개종한다면 국고로 넘어갈 그대의 재산 절반을 보호해 줄 수도 있다."

"개종 따위는 필요 없소. 아예 내 목숨까지 다 가져가시오. 전 재산을 빼앗기는 건 내 생명을 빼앗기는 것이나 다름없으니까."

그때 마음 씀씀이가 넉넉한 안토니오가 공작에게 다가오더니 귀에 대고 속삭였다.

"공작님, 제 몫으로 받게 될 샤일록의 재산 절반은 포기하겠습니다. 다만 샤일록이 죽은 뒤에는 자기 딸 부부에게 유산으로 물려준다는 계약서에 서명하도록 도와주십시오. 샤일록의 딸은 아버지의 뜻에 따르지 않고 기독교도인 제 친구와 결혼하는 바람에 지참금持參金을 한 푼도 받지 못했습니다."

지참금(持參金) : 신부가 시집갈 때에 친정에서 가지고 가는 돈.

안토니오의 말을 듣고 난 공작이 샤일록의 뜻을 물었다.

"몸이 아파 더 이상 버틸 수가 없습니다. 그만 돌아가 도록 허락해 주시오. 나중에 계약서를 보내 주면 내 딸에 게 재산의 절반을 주겠다고 서명하겠소."

샤일록은 기어 들어가는 목소리로 대답했다.

"그럼 돌아가거라."

공작의 말이 떨어지기가 무섭게 샤일록은 휘청거리는 걸음걸이로 사람들 사이를 뚫고 사라졌다. 공작은 안토니 오를 풀어 주었다.

마침내 재판이 끝났다.

재판정에 모인 사람들은 젊은 재판관의 지혜로운 판결 을 한결같이 칭찬했다. 친구들이 몰려와 안토니오를 얼싸 안았다. 재판정은 사람들의 환호로 가득 찼다.

8장
맹세의 결혼반지

바사니오는 젊은 재판관에게 고개 숙여 감사의 표시를
전했다.

"참으로 고맙습니다. 당신의 지혜로 내 친구 안토니오
의 목숨을 살렸군요. 샤일록에게 주려 했던 3천 두카토는
아무래도 당신이 받으셔야 할 것 같습니다. 이 돈을 받아
주세요."

그러나 젊은 재판관은 한사코 거절했다.

"아니오, 난 보수를 바라고 이 재판을 맡은 게 아니오."

"재판관님의 은혜에 두고두고 보답하겠습니다."

안토니오도 모처럼 밝게 웃었다.

"당신이 무사한 것으로 충분히 보답한 거요. 그럼 이만 가 보겠소."

젊은 재판관이 돌아섰으나 바사니오는 절친한 친구의 목숨을 구해 준 은인을 그냥 보낼 수 없었다. 그래서 한사코 젊은 재판관의 팔을 잡고서 성의誠意 표시를 하게 해 달라고 졸랐다.

"무엇이든 원하는 것은 다 해 드리겠습니다. 제발 한 가지만이라도 말씀해 주세요."

그러자 잠시 망설이던 젊은 재판관은 못 이기는 척 입을 열었다.

"정 그러시다면 당신이 끼고 있는 그 반지를 주시오. 기념으로 간직하겠습니다."

바사니오는 당황할 수밖에 없었다. 어느 누구에게도 주지 않겠다고 맹세하고 포샤에게서 받은 바로 그 반지였기 때문이다.

성의(誠意) : 정성스러운 마음.

"아니, 이건……. 이렇게 하찮은 물건 말고 다른 것을 말씀해 주시지요."

"그것이 아니면 됐소."

"사실 이 반지는 아내에게서 받은 특별한 선물입니다. 이 반지 대신 베니스에서 가장 비싼 반지를 사 드리면 안 되겠습니까?"

바사니오가 물었다.

"지금 나를 놀리는 거요?"

젊은 재판관이 화를 내자 바사니오는 쩔쩔매면서 반지에 얽힌 사연을 털어놓았다.

그러나 젊은 재판관은 주기 싫어서 내세우는 구실이라며 믿지 않았다.

"이보게 친구, 이 젊으신 재판관님은 나를 구해 주신 내 생명의 은인일세. 자네 혹시 그 반지가 아까워서 그러는 건 아닌가?"

안토니오가 이렇게 말하며 섭섭해 했다. 상황이 이렇게까지 되자 그러자 바사니오도 어쩔 수 없이 반지를 빼서 젊은 재판관에게 주었다.

그런데 옆에서 가만히 지켜보던 서기가 자기는 그레시
아노의 반지를 갖고 싶다고 말했다. 그 반지는 네리사에
게서 받은 것이었다. 그레시아노 역시 더 좋은 것으로 선
물하겠다고 했으나 서기는 막무가내로 고
집을 부렸다. 바사니오와 마찬가지로 그
레시아노 역시 반지를 빼서 줄 수밖에
없었다.

젊은 재판관과 서기는 각각 바사니오와
그레시아노의 반지를 끼고 가 버렸다.

"아, 포샤에게 뭐라고 말하지?"

바사니오의 말에 그레시아노도 걱정이
앞섰다.

"네리사를 만나면 당장 반지부터 확인하려 들 텐데 큰
일이군."

두 사람은 난감한 표정을 지었다.

반지를 빼서
줘 버렸으니 큰일이군.
집에 돌아가면 아내들이
삐칠 텐데…….

얼마 뒤 바사니오와 그레시아노는 안토니오와 함께 사랑하는 아내들이 기다리고 있는 벨몬트로 돌아왔다. 로렌조와 제시카는 안토니오가 무사히 돌아온 것을 보고 반가움을 감추지 못했다. 게다가 기대하지도 않았던 유산까지 받게 되었다는 소식을 안토니오로부터 들은 두 사람은 뛸 듯이 기뻐했다.

포샤 또한 남편의 절친한 친구 안토니오를 기쁘게 맞아들였다.

"잘 오셨어요. 무사히 돌아오셔서 정말 다행이에요. 남편이 결혼 전에 신세를 많이 졌다고 들었는데, 정말 고맙습니다."

이때 한쪽 구석에서 토닥거리던 네리사와 그레시아노의 목소리가 점점 커졌다.

"그레시아노, 무슨 일이에요? 혹시 네리사와 다투시는 건가요?"

포샤가 물었다.

"글쎄, 네리사가 준 반지를 젊은 재판관의 서기한테 주

었는데 그걸 가지고 저 야단법석이지 뭡니까? 어쩔 수 없
는 상황이었다고 아무리 설명해도 통 들으려 하지 않으
니, 원."

그레시아노는 답답하다면서 하소연했다.

"그건 그레시아노 당신이 잘못한 일인 것 같군요. 부인
이 준 선물을 다른 사람에게 주는 법이 어디 있어요? 제
남편 같으면 절대 그런 짓은 하지 않을 거예요. 그렇죠,
바사니오?"

아내의 말에 바사니오는 속이 뜨끔했다. 그렇지 않아도
자기만 당하는 것이 억울抑鬱 했던 그레시아노는 곧바로
포샤에게 고자질을 했다.

"모르시는 말씀 마세요. 바사니오도 젊은 재판관에게
반지를 줬다고요. 안토니오의 목숨을 구해 준 사람인데다
한사코 우리가 끼고 있는 반지를 갖고 싶다고 해서 거절
할 수가 없었지요."

억울(抑鬱) : 애매한 일을 당하여 분하고 답답함.

포샤가 못 믿겠다는 표정을 지으며 바사니오를 바라보았다. 바사니오는 켕기는 게 있어 포샤의 눈을 똑바로 쳐다볼 수가 없었다.

　　"바사니오, 그레시아노 님의 말씀이 사실인가요? 사실이 아니죠?"

　　"미안하오. 재판관에게 반지를 주었소."

　　바사니오는 어쩔 수 없이 사실대로 털어놓았다. 순간 포샤의 표정이 싸늘하게 굳었다.

　　그 뒤로 몇 시간 동안 바사니오와 그레시아노는 애원도 하고 달래도 보았으나 부인들의 화는 쉽게 풀리지 않았다. 보다 못한 안토니오가 나서서 다 자기 때문이라며 용서容恕를 빌었다.

　　"안토니오 님이 그렇게 말씀하시니 어쩔 수 없군요. 이번 한 번은 용서할게요."

　　포샤는 냉랭하게 말했다. 그러고는 품에서 반지 하나를

용서(容恕) : 지은 죄나 잘못에 대하여 꾸짖거나 벌하지 아니하고 덮어 줌.

꺼내 바사니오에게 건넸다.

"이 반지는 소중히 간직해 주세요."

"아니, 이건 내가 재판관에게 준 바로 그 반지 아니오? 어찌된 일이지?"

네리사도 그레시아노에게 반지를 건넸다. 그 반지 역시 그레시아노가 서기에게 준 것이었다.

영문을 몰라 멀뚱멀뚱 서 있는 남편들을 보고 두 여자는 까르르 웃었다. 한참을 웃던 포샤는 주머니에서 편지 한 통을 꺼내며 말했다.

반지를 돌려받고도 아무도 눈치 못 채네. 두 사람 모두 눈치가 발바닥이군.

"안토니오, 당신 앞으로 편지가 왔으니 찬찬히 읽어 보세요. 당신의 무역선 세 척이 베니스로 돌아오고 있대요. 저는 이 편지를 베니스에서 손에 넣었죠. 자, 이제 설명이 됐나요?"

편지를 읽은 안토니오의 얼굴이 기쁨으로 환하게 피어올랐다. 포샤의 빙글빙글 웃는 얼굴을 보고 바사니오에게

퍼뜩 떠오르는 생각이 있었다.

"이제야 알겠소! 당신이 바로 그 젊은 재판관이었어."

"아, 맞아. 네리사, 당신이 서기였군! 그러고 보니 똑같은 얼굴인데 왜 몰랐을까? 자기 아내의 얼굴도 못 알아보다니 정말 바보 같군. 하하하."

바사니오는 포샤의 뛰어난 지혜에 다시 한 번 감탄했다. 그리고 앞으로는 무슨 일이 있어도 반지를 잘 간직하겠다고 맹세했다. 포샤도 다시 한 번 영원한 사랑을 맹세했다.

"앞으로는 네리사의 반지를 잘 간수하는 게 내 일생의 두통거리가 될 것 같군!"

그레시아노의 투정을 들으며 사람들이 유쾌한 웃음을 터뜨렸다.

하인들이 연주하는 음악의 선율을 따라 행복이 온 집안에 넘쳐 흘렀다.

PART 3
PART 3 PART 3
PART 3 PART 3 PART 3
PART 3 PART 3 PART 3 PART 3
PART 3 PART 3 PART 3 PART 3
PART 3 PART 3 PART 3 PART 3 PART 3
PART 3 PART 3 PART 3 PART 3 PART 3
PART 3 PART 3 PART 3 PART 3 PART 3
PART 3 PART 3 PART 3 PART 3
PART 3 PART 3 PART 3 PART 3
PART 3 PART 3 PART 3
PART 3 PART 3

깊어지는 논술

삶의 중요한 가치가
무엇인지 생각해 보며
논술을 풀어 보렴!

PART 3

깊어지는 논술

베니스의 상인 (The Merchant of Venice)

1596년경 발표된 셰익스피어의 〈베니스의 상인〉은 5막으로 이루어진 희곡이에요. 인간과 사회의 문제점을 경쾌하고 흥미있게 다루어 웃음을 주는 희극의 범주에 속하지요.

셰익스피어는 이탈리아에 전해 내려오는 옛이야기에서 영감을 얻어 이 작품을 썼다고 해요. 〈베니스의 상인〉은 권선징악을 주제로 다룬 이야기이지만 인간과 사회의 다양한 문제점을 뛰어난 통찰로 파헤치고 있어 현대로 오면서 끊임없이 재해석되고 있습니다. 셰익스피어의 다른 작품들과 더불어 '낭만 희극'으로 분류되기도 하는 〈베니스의 상인〉은 오늘날에도 살아 숨쉬며 셰익스피어 작품 중에서도 걸작으로 평가 받고 있답니다.

▲ 〈베니스의 상인〉은 이탈리아의 옛이야기에서 영감을 얻어 쓰여졌다고 해요.

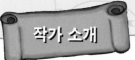
윌리엄 셰익스피어
(William Shakespeare, 1564~1616)

윌리엄 셰익스피어는 영국이 낳은 위대한 극작가이자 시인입니다. 1590년대에는 이미 영국에서 이름난 극작가로 평가 받았으며 오늘날 영국은 물론 세계에서 인정받는 위대한 작가입니다.

셰익스피어의 희곡은 인간과 사회에 대한 날카로운 통찰, 밀도 있는 극의 형식 그리고 '언어의 마술사'로 일컬을 정도의 뛰어난 언어 구사 등으로 현대 문학에도 큰 영향을 주었습니다. 다른 희곡 작품으로는 〈햄릿〉, 〈오셀로〉, 〈맥베스〉, 〈리어왕〉의 4대 비극과 유명한 〈로미오와 줄리엣〉, 〈한

여름 밤의 꿈〉 등이 있습니다. 시집으로는 〈소네트 시집〉 등이 있습니다.

▲ 〈로미오와 줄리엣〉은 셰익스피어의 대표작으로 손꼽히지요.

자비심은 인간이 가져야 할
미덕 가운데 하나이지요.

인간이 지켜야 할 소중한 가치는 무엇일까요?

〈베니스의 상인〉을 재미있게 읽었나요? 샤일록과 안토니오, 바사니오와 포샤 등 개성 강한 등장인물이 엮어 내는 이야기가 때로는 재미, 때로는 귀중한 통찰을 주었을 거예요. 기억에 남는 장면은 어떤 것인가요?

〈베니스의 상인〉에는 다른 사람들을 전혀 생각하지 않는 인물이 등장합니다. 바로 샤일록입니다. 샤일록은 고리대금업자로서 돈밖에 모르는 냉혹한 인물입니다. 이러한 특성 때문에 샤일록은 많은 사람의 비난을 듣고, 심지어 딸조차도 그를 떠납니다. 게다가 샤일록은 자신의 원한 때문에 사람의 목숨을 빼앗으려고까지 하는 비인간적인 면모를 보입니다.

반면 안토니오는 우정을 소중하게 생각하며 사람들의 신뢰를 얻는 인물입니다. 그가 위험에 처하자 많은 친구들이 달려와 그를 구하려고 애씁니다. 그러나 샤일록은 사람들의 말을 듣지 않고 끝까지 안토니오를 해치려 했습니다.

샤일록이 중요하게 생각한 것은 돈과 자신을 위한 복수뿐이지요. 그래서 샤일록은 재판 중에 계약과 법의 원칙을 들먹이면서 자신을 정당화시킵니다.

여기서 샤일록을 향한 포샤의 웅변을 통해 작가는 인간이 중요하게 여겨야 할 보다 근본적인 가치를 다시 한 번 생각하게 해 줍니다.

"샤일록, 당신 말대로 우리는 정의를 지켜야 하나 법의 정의에 자비를 더하는 순간 비로소 드높은 가치가 완성되는 것이다. 법의 정의로 볼 때 당신의 주장이 틀린 것은 아니나 법의 정의만으로는 사람을 구원할 수 없다."

자비심이란 사랑, 용서, 배려, 희생을 포괄하는 개념으로 해석될 수 있습니다. 즉 자신뿐 아니라 다른 사람을 생각하는 마음이라고 할 수 있지요.

법의 정의와 같이 지켜야만 하는 사회적 원칙들은 때로는 의무감 때문에 행해지기도 합니다. 그래서 때로는 샤일록처럼 이것을 악용하려는 사람들도 생기지요.

그러나 자비심처럼 다른 사람을 생각하는 마음은 결코 의무감으로 행할 수 없는 것입니다. 다른 사람을 생각하는 마음은 내면 깊은 곳에서 자연스럽게 흘러나오는, 보다 순수하고 근원적인 가치입니다. 작품 속의 표현대로 주는 사람에게도, 받는 사람에게도 축복이 되는 가치이지요.

그런 의미에서 남을 생각하는 따뜻한 마음을 잃어버린 샤일록은 악인이기도 하지만 더없이 불행한 사람입니다. 이런 마음을 잃어버린 사람은 남을 구원할 수 없음은 물론 자기 자신도 구원할 수 없기 때문입니다.

이러한 샤일록의 모습은 현대를 살아가는 우리에게서도 종종 발견됩니다. 현대 사회에 접어들면서 개인은 점점 자신과 가족만을 생각하며 다른 사람에게는 관심을 돌리지 않아요. 사람들과의 유대감을 깊이 느끼지 못하면서 타고난 심성인 자비심이나 배려 같은 소중한 가치들을 쉽게 잊어버리고 맙니다.

점점 복잡해지는 사회 속에서 사회를 유지시키기 위한 질서와 법의 중요성은 나날이 강조되지요. 그러나 정작 보다 더 근원적인 소중한 가치를 잊고 있는 것은 아닌지 돌아볼 필요가 있습니다.

　　셰익스피어의 작품들은 한 가지만으로 압축할 수 없는 복합적인 의미 구조를 갖고 있습니다.

　　〈베니스의 상인〉 역시 우정, 사랑, 결혼 그리고 여성의 위치와 자본주의에 이르기까지 매우 다양한 문제를 담고 있지요. 지금 당장은 어렵겠지만 원작 〈베니스의 상인〉을 나중에 꼭 읽어 보기를 권합니다.

사람이 살아가는 데
중요한 가치가 무엇인지
〈베니스의 상인〉을 통해
깨달았지?

〈베니스의 상인〉을
읽고 나니 셰익스피어의
다른 작품들도
읽고 싶어졌어.

PART 4

PART 4 PART 4

PART 4 PART 4 PART 4

PART 4 PART 4 PART 4

PART 4 PART 4 PART 4 PART 4

PART 4 PART 4 PART 4 PART 4 PART 4

PART 4 PART 4 PART 4 PART 4 PART 4 PART 4

PART 4 PART 4 PART 4 PART 4 PART 4

PART 4 PART 4 PART 4 PART 4

PART 4 PART 4 PART 4

PART 4 PART 4

논술 워크북

논술의 첫걸음은
다양한 책을 읽는 것이란다.

PART 4

논술 워크북

1-1 샤일록이 안토니오를 미워한 까닭은 무엇인가요?

1-2 포샤는 죽음의 위기에 몰린 안토니오를 어떻게 구했나
  요?

HINT

안토니오가 샤일록을 어떤 태도로 대했는지 생각해 보세요.
재판 장면을 다시 한 번 떠올려 보세요.

2 바사니오는 안토니오에게 돈을 빌려 달라고 하면서 포샤
와 결혼하면 이제까지 진 빚도 모두 갚을 수 있게 될 거라
고 말합니다. 즉 포샤와 결혼하면 자신도 부자가 된다고
생각하는 것이지요. 바사니오가 이렇게 생각하는 까닭을
생각해 봅시다. 그리고 바사니오의 생각이 옳은지 그른
지, 적절한 근거를 들어서 비판해 봅시다.

HINT

논증은 주장과 근거로 이루어져 있습니다. 먼저 바사니오의 주장을 논증의
형태로 정리해 보고, 그 근거가 적절한지 생각해 보세요.

3 포샤의 아버지는 딸의 남편감을 고르는 시험으로 금궤와
  은궤와 납궤 가운데 하나를 선택하게 했습니다. 포샤의
  아버지가 이렇게 한 까닭이 무엇이었는지 생각해 봅시다.

HINT

각각의 상자를 고른 다음, 결과가 어떻게 되었는지 생각해 보세요.

4 글 속에서 안토니오는 고리대금업이 나쁘다고 주장합니다. 반면에 샤일록은 고리대금업이 나쁘지 않다고 주장하지요. 두 주장을 옹호하는 논증을 각각 만들어 보세요.

HINT

주장을 말할 때는 내 의견을 뒷받침해 줄 근거를 생각해 보세요.

5 본문에서 재판 도중에 샤일록과 포샤는 다음과 같은 말
을 합니다.

어서 재판을 진행하시오. 나에겐 아무 잘못도 없으므로 어떤
판결도 두렵지 않습니다. 당신들 중에는 노예를 사서 개와 소처
럼 부리는 사람들이 있지요. 왜입니까? 자기 돈을 주고 샀기 때
문이지요. 만약 내가 당신들에게 '노예를 해방하여 당신 딸과
결혼시켜라, 당신이 먹는 것과 똑같은 음식을 주어라.' 하고 말
하면 '참견 마라. 노예는 내 것이야.' 하고 대답할 겁니다. 나도
마찬가지예요. 계약서에 분명히 써 있듯이 안토니오의 살 1파운
드는 내 거라고요. 나는 비싼 대가를 치르고 얻은 내 것을 갖겠
다는 겁니다. 자, 베니스의 고귀한 법으로 어서 판결을 내려 주
십시오.

－재판 중 샤일록의 말

자비심은 강요해서도 안 되고 의무감으로 행해서는 더더욱
안 되지. 자비야말로 하늘이 인간에게 주신 최고의 축복이니까.
자비는 주는 사람에게도 받는 사람에게도 축복이며, 왕관보다
더 군왕을 군왕답게 만든다. 샤일록, 당신 말대로 우리는 정의를
지켜야 하나 법의 정의에 자비를 더하는 순간 비로소 드높은 가
치가 완성되는 것이다. 법의 정의로 볼 때 당신의 주장이 틀린

것은 아니나, 법의 정의만으로는 사람을 구원할 수 없다. 그래도 샤일록 당신의 마음이 끝내 변하지 않는다면 이 법정에서 더 이상 강요할 수는 없다. 재판장의 판결은 엄격한 법의 테두리 안에 있으니까."

—재판 중 포샤의 말

위의 두 사람의 말이 무슨 뜻인지 생각해 봅시다. 그리고 두 글을 비교해서 사람이 지켜 나가야 할 소중한 가치는 어떤 것인지 논술해 보세요.

HINT

제시된 글의 요점을 잘 파악하고 정리해 보세요.

6 다 쓴 글을 친구나 부모님 앞에서 발표해 보세요. 그리고 듣는 사람이 고개를 끄덕이는지 아니면 고개를 갸우뚱하는지 반응도 살펴보세요. 발표가 끝난 후 평가도 부탁해 보세요.

가이드북
GUIDE BOOK

작품의 전체 줄거리

베니스의 상인 안토니오는 바사니오와 절친한 친구입니다. 안토니오는 친구 바사니오를 위해 고리대금업자 샤일록에게 돈을 빌립니다. 샤일록은 자기를 고리대금업자라고 무시하는 안토니오를 마음속으로 증오합니다. 그래서 계약서를 쓸 때 돈을 갚지 못하면 이자 대신 안토니오의 가슴살 1파운드를 베겠다는 조항을 추가합니다.

한편 바사니오는 안토니오가 샤일록에게 빌려서 준 돈으로 사랑하는 포샤와 결혼합니다. 그러나 곧 안토니오가 파산하여 샤일록에게 죽임을 당할 위기에 처한 것을 알게 됩니다. 베니스에서 열린 재판에서 지혜로운 젊은 재판관이 위기를 해결하고 안토니오를 구합니다. 모든 위기가 해결된 뒤 젊은 재판관은 포샤였음이 밝혀집니다.

〈베니스의 상인〉의 의미

〈베니스의 상인〉은 영국의 대문호 셰익스피어가 1596년에 쓴 희곡으로 연극으로 먼저 무대에 올려진 뒤 1600년에 책으로 나왔습니다.

중세 베니스를 배경으로 한 이 작품에는 작품의 큰 주제인 인간이 소중히 해야 할 가치뿐 아니라 사랑과 결혼, 여성의 활동, 자본주의와 같은 다양한 문제들이 등장합니다. 또한 상업이 크게 발전하기 시작했으며 중세에서 근대로 돌입하던 당시의 과도기적 분위기가 잘 나타나 있습니다. 원작에는 유대 인에 대한 차별이 극심했던 당시의 시대상이 선명하게 드러나 있습니다.

오늘날에도 널리 읽히는 〈베니스의 상인〉은 연극과 영화로 끊임없이 만들어지고 있습니다. 재기 넘치는 대사, 절묘한 비유가 주는 웃음과 예리한 통찰이 오늘날에도 독자에게 재미와 감동을 선사하기 때문입니다.

1-1 사고 영역 _ 사실적 이해

본문을 잘 읽었는지 확인하는 문제입니다. 3장을 잘 읽었다면 바르게 답할 수 있습니다.

평소 고리대금업을 경멸해 온 안토니오는 고리대금업자 샤일록을 비난했습니다. 또한 유대 인 샤일록의 종교를 비난하기도 했지요. 게다가 안토니오는 다른 사람에게 이자를 받지 않고 돈을 빌려 주어 샤일록의 사업을 위협했습니다. 이런 이유 때문에 샤일록이 안토니오를 마음속 깊이 미워한 것입니다.

1-2 사고 영역 _ 사실적 이해

본문을 잘 읽었는지 확인하는 문제입니다. 7장과 8장을 잘 읽었다면 바르게 답할 수 있습니다.

포샤는 남자로 변장을 하고 재판관이 되어 판결을 내렸습니다. 샤일록이 끝까지 계약서에 써 있는 대로 안토니오의 가슴살 1파운드를 베어 내겠다고 주장하자 포샤는 살만 베어 내고 피는 한 방울도 흘려서는 안 된다고 판결했지요. 피를 흘리지 않고 살을 베어 내는 건 불가능한 일이므로 안토니오는 목숨을 구하게 된 것입니다.

CHECKPOINT

중세의 기독교인은 성경에서 금지한다는 이유로 고리대금업을 싫어했습니다

사고 영역 _ 비판적 사고

비판적 사고란 무조건 부정적으로 생각하라는 것이 아닙니다. 자신의 생각을 말해 보세요.

바사니오는 포샤가 부자이기 때문에 결혼하면 자기도 부자가 된다고 생각합니다. 이때 결혼을 하면 아내의 돈이 자기의 것이 된다는 생각이 근거가 되지요. 바사니오의 생각을 정리하자면 다음과 같습니다.

- **주장** 부자인 포샤와 결혼하면 나는 부자가 된다.
- **주장에 대한 이유** 아내의 돈은 남편의 것이기 때문이다.

위의 논증을 비판하려면 주장에 대한 이유가 타당한지 먼저 판단해야 합니다. 만약 여러분이 '결혼을 하면 아내의 돈은 남편의 것이 된다.'는 것이 타당하다고 생각한다면 바사니오의 주장이 옳다는 입장이 될 것입니다. 이때 '부부는 모든 것을 공유하는 사이다.'와 같은 근거를 들어 여러분의 주장을 뒷받침할 수 있겠지요. '결혼을 하면 아내의 돈은 남편이 것이 된다.'가 타당하지 않다고 생각한다면 바사니오의 주장이 옳지 않다는 입장이 될 것입니다. 이때는 '부부 사이에서도 경제 관리는 따로 해야 마땅하다.'와 같은 근거를 들 수 있을 것입니다.

CHECKPOINT

하나의 논증을 뒷받침하는 근거를 찾아내어 그 타당성을 바르게 판단할 줄 알아야 합니다.

3 **사고 영역 _ 창의적 사고**

시적인 언어를 잘 이해할 수 있는가를 묻는 문제입니다.

상자 속에 들어 있던 쪽지에는 시적인 글이 쓰여 있었습니다. 이 글을 해석해 보면 포샤 아버지의 의도를 추측할 수 있습니다.

금궤에서 나온 쪽지에는 '빛나는 것이 다 금은 아니다.' 라는 구절이 있습니다. 이것은 눈에 보이는 것에만 현혹되지 말라는 뜻으로 읽을 수 있습니다. 은궤에서 나온 쪽지에는 '그림자 같은 행복' 이라는 구절이 있지요. 그림자는 본질적인 것이 아니므로 이것은 거짓을 뜻한다고도 볼 수 있습니다. 종합해 보면 겉보기에 아름다운 금과 은을 선택한 사람은 눈에 보이는 것에만 현혹되어 본질적인 것을 보지 못하는 사람이라고도 볼 수 있습니다. 반면에 납궤에는 '눈으로만 판단하지 않는 사람은 올바른 선택을 한다.' 고 쓰여 있지요. 겉모습이 아름답지 않은 것도 그 속에 아름다운 것을 품을 수 있다는 뜻으로 읽을 수 있습니다.

포샤의 아버지는 겉모습에 현혹되지 않고, 내면의 아름다움을 찾을 수 있는 지혜를 가진 사람을 골라 내려고 이런 방법을 썼다고 추측할 수 있습니다.

 CHECKPOINT

시적인 언어를 본문의 맥락에 걸맞게 해석할 수 있는지 확인합니다.

4 사고 영역 _ 논리적 사고

주어진 문제를 다양한 관점에서 바라볼 수 있게 해 주는 문제입니다. 이런 과정을 통해 자신의 의견을 주장하는 올바른 방법을 배우게 됩니다.

'고리대금업은 나쁘다.'는 주장에 찬성하기 위해서는 고리대금업이 나쁜 이유를 근거로 제시해야 합니다. 고리대금업은 높은 이자를 받고 돈을 빌려 주는 것입니다. 돈을 빌리는 사람에게 지나치게 높은 이자를 부과해서 자칫하면 돈을 빌려 간 사람에게 도움은커녕 오히려 파산하게 만들 수도 있다는 점, 실제로 그런 사람이 많다는 점 등을 근거로 제시할 수 있습니다.

'고리대금업은 나쁘지 않다.'는 주장에 찬성하기 위해서는 고리대금업이 가진 좋은 점을 근거로 제시해야 합니다. 고리대금업자들은 급하게 돈이 필요한 사람들이 빠르고 쉽게 돈을 빌릴 수 있게 해 준다는 점 등을 근거로 제시할 수 있습니다.

그밖에도 주장을 뒷받침하는 근거를 여러 가지 찾을 수 있습니다. 각각의 주장을 잘 뒷받침할 수 있는 타당하고 적절한 근거를 찾아보세요.

CHECKPOINT

주장을 뒷받침하는 타당하고 적절한 이유를 제시하는 것이 중요합니다.

5 사고 영역 _ 논리적 사고

제시된 글의 요점을 정확히 파악한 뒤 논술의 주제와 연관시킬 줄 알아야 합니다.

샤일록의 말을 살펴봅시다. 샤일록은 계약서대로 법을 집행해 달라고 말하면서 노예에 대한 사람들의 비인간적인 행동을 예로 듭니다. 이런 행동은 인간적 배려보다는 계약을 우선시하는 행동으로 샤일록의 생각에 자신과 다를 바가 없습니다. 샤일록의 주장을 요약해 보면 '배려 등의 인간적 가치를 따지기보다는 정해진 계약과 법을 지키겠다.' 는 것입니다. 그런데 샤일록이 정해진 계약이나 법을 지켜야 할 소중한 가치로 보는 것은 아닙니다. 다만 대부분의 사람이 그렇게 잘못된 방식으로 살고 있으므로 자기도 그렇게 해도 된다는 식이지요.

반면에 포샤는 개인과 사회가 지켜야 할 소중한 가치는 '자비' 라고 역설합니다. '자비' 를 다르게 말하면 '다른 사람을 배려하는 마음' 이라고도 할 수 있습니다. 즉 포샤는 개인의 삶과 사회에서 '타인을 생각하는 인간적인 마음과 행동이 소중하다.' 고 말하는 것입니다.

이 글에 나타난 샤일록은 지켜야 할 소중한 가치를 잃어버린 모습입니다. 그는 다만 '계약과 법' 을 이용해 사람을 해치려 하지요. 포샤는 이런 샤일록에게 '타인을 생각하는 마음' 이라는 소중한 가치를 깨우쳐 주려 한 것입니다.

CHECKPOINT

제시된 글의 요점을 올바르게 파악해서 논술에 활용하는지 확인합니다.

다음은 논술 5단계 문제에 대한 예시 글입니다. 지도에 참고하시기 바랍니다.

사람이 지켜 나가야 할 소중한 가치는 무엇일까? 이 물음에 대한 해답은 제시된 포샤의 말에서 찾을 수 있을 것입니다.

그것은 바로 '자비심'으로 대표되는 '타인을 생각하는 마음'입니다. 타인을 생각하는 마음을 가진 사람은 다른 사람을 이해하고, 그가 저지른 잘못을 용서하며 더불어 살아갈 줄 알게 됩니다.

샤일록은 법을 악용해서 사람을 해치려고 했습니다. 그에게 타인을 생각하는 마음이 결여되어 있었기 때문입니다. 물론 사람이 살아가면서 정해진 법을 지키는 것은 중요합니다. 그러나 샤일록을 보아 알 수 있듯이 법, 사회적 약속 같은 것들은 한계가 있습니다. 우리 사회에도 샤일록처럼 교묘하게 법을 이용해서 자신의 이익만 챙기고 다른 사람에게 손해를 입히는 사람이 많다는 것은 잘 알려진 사실입니다.

사람과 사회를 따뜻하고 풍요롭게 만드는 보다 근본적인 가치는 자비, 용서, 배려와 같은 타인을 생각하는 마음이라고 생각합니다. 계약, 법 등 인간이 만들어 내는 인위적인 약속은 이처럼 타인을 생각하는 마음이 바탕이 될 때만 가치 있는 것입니다.